Deseo

LA PROPUESTA DEL JEQUE

FIONA BRAND

Editado por Harlequin Ibérica.
Una división de HarperCollins Ibérica, S.A.
Núñez de Balboa, 56
28001 Madrid

La propuesta del jeque, n.º 2052 - 22.7.15
Título original: The Sheikh's Pregnancy Proposal
Publicada originalmente por Harlequin Enterprises, Ltd.

I.S.B.N.: 978-84-687-6619-5
Depósito legal: M-15402-2015
Impresión en CPI (Barcelona)
Fecha impresion para Argentina: 18.1.16
Distribuidor exclusivo para España: LOGISTA
Distribuidor para México: CODIPLYRSA
Distribuidores para Argentina: Interior, DGP, S.A. Alvarado 2118.
Cap. Fed./Buenos Aires y Gran Buenos Aires, VACCARO HNOS.

Capítulo Uno

Veinticuatro horas para que finalizara el plazo de firmar un contrato matrimonial…

Aquel duro pensamiento despertó al jeque Kadin Gabriel ben Kadir de un sueño inquieto. Gabe apartó las sábanas de lino, se puso en pie y se vistió con unos vaqueros de pitillo. La fría luz del amanecer de Nueva Zelanda iluminó la suite, situada en la planta superior del consulado de Zahir en Wellington.

Casarse con una rica heredera solucionaría los problemas financieros de su país. El problema estribaba en que, tras el desastre de su último matrimonio, no tenía ningún deseo de volver a verse nunca más inmerso en el mismo infierno.

El fresco aire de la mañana le acarició el torso cuando se acercó descalzo a las puertas del balcón y apartó las pesadas cortinas de lino. Observó con oscura mirada la lluvia gris que caía en su último día de libertad como soltero. En aquel momento, como si fuera un presagio, el sol atravesó el grueso velo de nubes tormentosas que colgaban sobre el puerto de Wellington e iluminó el cuadro de sus ancestros del siglo XII que dominaba la suite.

Gabe observó el cuadro del primer jeque Kadin, en cuyo cumpleaños tuvo él la mala suerte de nacer. Kadin, un caballero templario forjado en la batalla, ganó su fama al llevarse a la prometida de otro hombre junto con su dote de diamantes. La novia raptada, Camille de Vallois, una pelirroja esbelta de exóticos ojos oscuros, había empezado entonces a embelesar al antepasado de Gabe hasta el punto de la obsesión.

A Gabe se le formó un nudo en el estómago al pensar en la obsesión que se había apoderado de su propio matrimonio de juventud, aunque en su caso la obsesión no procedía de él.

Cuando se casó con Jasmine, su novia desde la infancia, ella se volvió cada vez más exigente y dependiente. Se echaba a llorar o tenía una rabieta cuando no conseguía lo que quería. Se quejaba de la apretada agenda de trabajo de Gabe y estaba convencida de que tenía aventuras. Cuando él se negó a tener hijos hasta que su relación alcanzara un mayor equilibrio, Jasmine se lo tomó como una señal de que se arrepentía del matrimonio. Lo culpable que le hacía sentir se transformó en obsesión cuando, tras una fuerte discusión durante un crucero, Jasmine se subió al bote del yate, chocó contra las rocas y se ahogó.

El recuerdo del agua helada y salada chocando contra las rocas mientras él intentaba salvar a Jasmine le provocó un pequeño dolor en la cicatriz que le marcaba el pómulo, un recuerdo permanente de aquel día.

Según la leyenda, la apasionada relación de su antepasado con la mujer que se casó tuvo un final feliz. La experiencia de Gabe fue tan terrible que no permitiría que ninguna mujer volviera a ejercer semejante poder sobre él. En su opinión, la pasión tenía su lugar, pero solo en relaciones cortas y controladas. El amor era otra cosa totalmente distinta;

no volvería a dejarse arrastrar por aquella tormenta.

Una llamada a la puerta le distrajo de sus pensamientos. Se puso una camiseta, abrió y se encontró con su viejo amigo y jefe de seguridad del país. Xavier, que acababa de llegar de Zahir, entró en la espaciosa sala anexa al dormitorio de Gabe y le tendió un sobre.

–Correo especial.

Gabe abrió el sobre y sacó el contrato matrimonial que había acordado con sus abogados antes de salir de Zahir.

Xavier miró el contrato como si fuera una bomba a punto de hacer explosión.

–No me lo puedo creer. Vas a seguir adelante con esto.

Gabe se dirigió a la moderna cocina que había al lado de la sala.

–No hay demasiadas opciones.

Con los fríos vientos de la bancarrota soplando a la espalda y los restos de la extraordinaria riqueza de Camille perdidos durante la confusión de la Segunda Guerra Mundial, dependía de Gabe restaurar la fortuna del país casándose por interés con una mujer extremadamente rica.

Xavier sacudió la cabeza cuando su amigo le ofreció un vaso de zumo de naranja.

–Creía que después de Jasmine…

–¿Había llegado el momento de que siguiera adelante?

Xavier puso cara de impaciencia.

–Cuanto te casaste con Jasmine erais los dos muy jóvenes. Es hora de que tengas un matrimonio de verdad.

–El matrimonio con Jasmine fue suficientemente real –Gabe se acabó el zumo y dejó el vaso sobre la encimera con un golpe seco. Todavía podía sentir aquella conocida frialdad en el estómago, la tirantez en el pecho cada vez que pensaba en el pasado y en cómo le había fallado a su mujer cuando ella más lo necesitaba–. Este matrimonio no lo será. Recuerda que se trata de un acuerdo de negocios.

Todo estaba previsto y controlado, lo que evitaba cualquier posibilidad de que surgiera alguna emoción destructiva o manipuladora.

Xavier, que estaba felizmente casado, no se molestó en ocultar su incredulidad.

–¿De verdad crees que puedes mantenerlo así? ¿Qué mujer lo permitiría?

Gabe alzó una ceja mientras pasaba las últimas hojas del contrato. Contenía una corta lista de candidatas y fotos de mujeres jóvenes y guapas procedentes de familias ricas que habían mostrado interés por la oportunidad de prestigio y negocio inherentes al matrimonio con el futuro jeque de Zahir.

Xavier miró la lista y frunció el ceño.

–Sigo pensando que cometes un grave error, pero si quieres asistir a tu propio funeral, allá tú.

Gabe presenció el momento en el que Xavier se dio cuenta de lo inoportuno de su comentario sobre el funeral. Atajó sus disculpas con una palabra corta. Habían crecido juntos. Xavier fue su padrino cuando se casó, y también mantuvo alejada a la prensa y a las hordas de amigos y familiares cuando Jasmine murió, regalándole así a Gabe la intimidad que necesitaba. Su amistad se había fortalecido con todo aquello.

–En algún momento tendré que casarme. No te olvides de que, aparte del dinero, Zahir necesita un heredero.

Cuando Xavier se hubo marchado, Gabe agarró ropa limpia y se dirigió a la ducha. Pensó en el comentario que le había hecho su amigo sobre que Jasmine y él eran demasiado jóvenes para casarse. Él tenía entonces veinte años y Jasmine dieciocho. El matrimonio duró dos años.

Abrió el agua de la ducha y esperó a que saliera vapor antes de quitarse la ropa y colocarse bajo el chorro. Ahora tenía treinta años y era el único hijo de su padre, por lo que necesitaba casarse y continuar con el linaje familiar. La idea de una segundo matrimonio le llevó a apretar las mandíbulas. Se le ocurrían otras formas de conseguir el dinero que Zahir necesitaba. Formas occidentales que en aquel momento no formaban parte de la constitución de Zahir. Pero su padre se estaba recuperando de un cáncer y recelaba de las nuevas inversiones, así que Gabe aceptó la anticuada solución de su padre.

Unos minutos más tarde, vestido con camisa blanca, corbata roja y traje oscuro, se tomó de pie el café aromático que le gustaba mientras observaba la fuerte lluvia que caía sobre el puerto. Por fría y extraña que fuera aquella visión, situada a miles de kilómetros de la soleada Zahir, le resultaba sin embargo familiar. Su madre había nacido en Nueva Zelanda, y Wellington había sido su segundo hogar porque había ido al colegio allí.

Consultó el reloj y dejó la taza de café vacía en la mesita al lado del contrato de matrimonio. Ahora tenía un desayuno de trabajo con los ministros de turismo de Zahir y de Nueva Zelanda. Le seguirían una cadena de reuniones de negocios y luego, por la noche, habría un cóctel con una presentación de los atractivos turísticos de Zahir.

A pesar de la decisión que había tomado, a Gabe se le ocurrían mejores modos de pasar su último día de libertad.

Estaba destinada a ser amada, amada de verdad...

La alarma del despertador estuvo a punto de sacar a Sarah Duval de su sueño, pero la irresistible pasión que la tenía atrapada era demasiado adictiva para dejarla escapar. Cerró firmemente los ojos para no pensar en otro día rutinario de su trabajo como profesora y apagó la alarma. Se tapó con la almohada de plumas en la cabeza y volvió a su sueño.

La mirada directa del guerrero estaba cargada con la firme resolución que llevaba años esperando, como si él pensara que era bella, o mejor todavía, como si estuviera fascinado por ella.

Unos dedos fuertes le sujetaron la barbilla. Sarah apartó la vista de la fascinante cicatriz que le trazaba una línea en el pómulo y reprimió el automático recelo que la atenazó, no podía creer que, tras años de ser rechazada por los hombres, un hombre indecentemente atractivo pudiera desearla de verdad. Pero el calor que surgía de su bronceado rostro, el rápido latido de su corazón bajo las palmas de las manos, no parecían mentira.

Lo cierto era que el guerrero no hablaba mucho, pero a Sarah le parecía bien. Tras años de minucioso estudio del lenguaje corporal por haber aprendido que no podía con-

fiar siempre en lo que se decía, había aprendido a poner su confianza en el vocabulario de los sentidos.

Dejando a un lado su habitual sentido práctico, se puso de puntillas, enterró los dedos en la seda negra como la noche de su pelo y se apretó contra el calor de su cuerpo. El guerrero cerró la boca sobre la suya y una emoción casi dolorosa por su intensidad la atravesó. Supo de un modo vago que aquello era lo que buscaba. Los largos años de espera habían terminado. Por fin sabría lo que era ser deseada de verdad, hacer por fin el amor...

El sonido de la alarma volvió a sacar una vez más a Sarah de su sueño, aunque la voz del guerrero parecía colgar en el aire.

Eres mía para siempre.

Un escalofrío le recorrió la espina dorsal cuando silenció la alarma. Parpadeó al ver lo gris que estaba el día y escuchó el reconfortante sonido de la estufa de aceite que se había puesto al lado de la cama para mantener a raya el frío del invierno. Aspiró con fuerza el aire para liberar la tensión que le atenazaba el pecho y la garganta. Como si de verdad hubiera sido el foco del deseo de un macho poderoso...

Un golpe seco hizo que dirigiera la mirada hacia el diario familiar forrado de piel que había estado leyendo antes de dormirse. Se le había resbalado por el borde de la cama y se le había caído al suelo. El diario, que había sido traducido parcialmente del francés antiguo por una prima erudita, relegaba el sueño a su verdadero contexto: la fantasía.

Nada de aquello había sido real. Al menos no más real para Sarah que el dramático contenido del diario personal de Camille de Vallois. Una solterona intelectual que vivió hacía más de ochocientos años y a la que su familia vendió en matrimonio. Sin embargo, cuando su barco se fue a pique contra las rocas de Zahir, se reinventó a sí misma como una *femme fatale* aventurera y fue tras el hombre que deseaba, un jeque que además había sido caballero templario. Camille lo había arriesgado todo por amor, aunque con la ayuda de una enorme dote, y tuvo éxito.

Sarah frunció el ceño, recordó el sueño tan vívido que había tenido y dejó escapar a regañadientes los últimos remanentes de las poderosas emociones que había experimentado. La historia de Camille había sido sin duda el origen de su sueño. Además, el día anterior, atrapada por el romanticismo de lo que estaba leyendo en el diario, se había pasado por el consulado de Zahir y se había llevado un panfleto sobre una exhibición de artefactos del país y una conferencia sobre su historia y su cultura. Cuando salía del edificio bajo un aguacero con la cabeza baja, se tropezó con un hombre tan guapo que durante unos segundos su cerebro se negó a funcionar.

Para cuando recuperó la capacidad de habla, él había recogido los panfletos que se le habían caído, se los había dado y había entrado en el consulado tras dirigirle una sonrisa. El héroe de su sueño, con cicatriz y todo, se parecía sospechosamente a aquel hombre.

Se le sonrojaron las mejillas al recordar algunos elementos gráficos de aquel sueño, el abrasador abrazo y el beso arrebatador que la había dejado prácticamente derretida. Se había tratado sin duda de una fantasía que nada tenía que ver con su vida normal como estirada profesora de historia.

En el caso de su antepasada, el sueño se había hecho realidad, pero Sarah no debía olvidar que el romance de Camille estuvo desde el principio suavizado por el dinero. Aunque fuera una historia de amor, Sarah estaba convencida de que el jeque Kadin había sabido a quién se arrimaba.

Incorporándose en la cama, agarró el diario, que incluía hojas fotocopiadas del original escritas en francés antiguo junto con las secciones del diario que su prima había traducido hasta el momento. Una fuerte oleada de viento golpeó el lateral de su cabaña, agitando las ventanas y provocando que las viejas vigas de resina. Sarah apartó la colcha, se puso de pie y se calzó las mullidas zapatillas, se anudó la gruesa bata a la cintura y se acercó a la ventana para observar el tormentoso día.

La empinada calle en la que vivía estaba envuelta en una atmósfera gris. Las lámparas de vapor de sodio proyectaban un brillo apagado sobre los setos bien recortados, la valla blanca y los rosales. Las casas, pegadas las unas a las otras, no eran elegantes ni antiguas ni modernas. Habitadas por personas solas como ella o familias jóvenes, eran algo mucho más útil: baratas.

Sarah volvió a correr las cortinas y entró en la cocina para prepararse una taza de té antes de ducharse y prepararse para ir al trabajo. La minúscula cocina, con los muebles muy pegados para aprovechar al máximo el mínimo espacio, estaba lo más lejos que se podía estar de la exótica isla de Zahir.

Mientras se tomaba el té caliente, observó el reflejo que le devolvía la ventana situada sobre la encimera y comenzó a examinar con ojo crítico su apariencia. Con el pelo recogido en un moño, la cara sin maquillar y la gruesa bata que le hacía parecer diez kilos más gorda, tenía un aspecto desaliñado, cansado y aburrido.

Frunció el ceño y sintió una punzada en el pecho al pensar que tenía veinticuatro años y ya no era ninguna niña. Se acercó para observar mejor su reflejo. Tenía los ojos azules, la piel pálida, el pelo abundante, liso y oscuro. Era la bata vieja lo que la hacía parecer pálida, y también el pelo recogido. No era mayor.

Pero cumpliría veintinueve el mes próximo. Solo le faltaba un año para tener treinta.

La presión del pecho aumentó. Aspiró con fuerza el aire y trató de suavizar la tensión, pero la idea de cumplir treinta le aceleraba el corazón. De pronto fue muy consciente del paso del tiempo que la dejaba atrás, de su incapacidad para encontrar a alguien especial a quien amar y que a su vez la amara también.

Tras aquel pensamiento se asomó un antiguo miedo. Que su desastroso historial con los hombres no era una cuestión de mala suerte, sino que era culpa de ella. Ella era el problema. Tal vez fueran su vena académica o sus maneras bruscas, o seguramente su insistencia obsoleta en ser amada antes de que el sexo entrara en la ecuación.

Pensó con tristeza en sus dos compromisos. Su primer prometido, Roger, se enfadó porque no estaba preparada para acostarse con él la semana de su compromiso y lo canceló.

La segunda vez escogió mejor, o eso creyó. Estuvo varios meses saliendo con un profesor compañero de trabajo, Mark, que parecía conforme con su idea de mantenerse célibe hasta la boda. Pero desgraciadamente, la mañana de la boda descubrió que él se había enamorado de otra persona. Una rubia guapa con la que llevaba acostándose cuatro meses.

Normalmente no se torturaba con los dolorosos detalles de aquellos errores. Esconder la cabeza en la arena y anestesiarse con el trabajo habían sido opciones mucho más atractivas.

Pero leer el diario que le había enviado hacía poco su prima y aquel sueño tan profundamente sensual habían cambiado algo en ella de un modo casi imperceptible. Tal vez lo que sentía se mezclaba con su reloj biológico. Fuera cual fuera la causa, aquella mañana se sentía diferente, dolorosamente viva y vulnerable, como si estuviera parada al borde de un precipicio.

Y sabía de qué precipicio se trataba: finalmente estaba preparada para intentarlo de nuevo. El pulso se le aceleró ante la certeza de que, tras años de carencia, quería amar y ser amada. Y esta vez quería pasión y sexo desenfrenado, con matrimonio o sin él. La adrenalina le recorrió las venas ante la idea. Estaba cansada de esperar, de perderse cosas. Quería arriesgarse, encontrar a un hombre a quien pudiera no solo desear, sino también enamorarse locamente de él.

Un hombre como el tipo tan peligrosamente guapo con el que se había tropezado el día anterior.

Bebió distraídamente el té ya casi frío. En el pasado todo era para ella blanco o negro. Lo quería todo o nada. No entendía por qué era así. Aquella necesidad de certeza emocional tal vez se debiera al hecho de que su padre no había sido una presencia constante en su vida. O quizá la causa fuera su naturaleza apasionada.

Sarah apretó las mandíbulas. Fuera cual fuera la razón, si quería encontrar alguien a quien amar, con quien casarse y tener hijos, iba a tener que ser más flexible. Tendría que cambiar. Vivir una aventura sin compromiso.

Dejó la taza sobre la encimera y se quitó la goma elástica del pelo. Se sentía tensa y un poco nerviosa. Se pasó los dedos por la sedosa melena tratando de conseguir algo de volumen. Con pelo suelto hasta la cintura parecía más joven y sexy. Se sintió algo aliviada.

Se quitó la bata y la dejó caer al suelo. El camisón que llevaba puesto no ayudó. Era de franela rosa pálido y le recordaba a los que solía llevar su abuela. Estupendo para las noches frías, pero cero sexy.

Lo único positivo era que bajo la tela había una buena figura. Tenía los senos bien formados, la cintura estrecha y las piernas largas y tonificadas por todo lo que andaba.

Se estremeció por el frío. Agarró la bata y volvió al dormitorio. Encendió la luz, abrió el armario y examinó la ropa que había comprado para la luna de miel que nunca vivió. Sacó algunas prendas y las dejó sobre la cama. Necesitaba exorcizar el pasado poniéndose aquella ropa como si no la hubiera comprado para una ocasión única en la vida.

Sarah colocó las prendas y se dio cuenta sobresaltada de que habían pasado casi cuatro años desde que Mark la dejó.

Apretó la mandíbula y escogió un vestido rojo. Era de un tono sensual y suave al tacto. Tenía las mangas tres cuartos, el cuello de pico y un diseño clásico. Lo había comprado para la luna de miel en París que pagó y luego tuvo que cancelar.

Se quitó el camisón y la bata antes de que le diera por cambiar de opinión y se puso el vestido. Se le ajustó a la piel, provocándole un escalofrío. Acercándose al espejo de la cómoda, observó el efecto de aquel vestido puesto sin sujetador y con el pelo suelto.

La mujer del espejo no parecía aburrida ni cansada. Parecía joven y llena de vida. Disponible.

Habían pasado años desde que Mark la dejó colgada en el altar. Años perdidos. Si se hubiera centrado en encontrar un compañero adecuado ahora estaría casada y tendría al menos un hijo.

Según su madre, Hannah, la verdadera razón por la que Sarah no había encontrado una relación era el miedo. Tras dos compromisos fallidos, su naturaleza obstinada la había llevado a no querer arriesgarse una tercera vez.

La solución de Hannah había sido proporcionarle un constante suministro de candidatos escogidos entre sus contactos del negocio de decoración de interiores. Así fue como Sarah conoció a Graham Southwell. Pero tras varias citas platónicas, le dio la impresión de que Graham estaba más interesado en su conexión con la perdida dote de los Vallois que en tener una relación con ella.

Lo cierto era que aquella noche había quedado

con Graham. Tras la revelación del sueño, ya no podía ver aquella noche como otra cita con un hombre que en realidad no la veía. Aquella noche era la oportunidad de conseguir el cambio que ya circulaba en su interior.

No podía seguir esperando a que su amor verdadero la encontrara; la experiencia le había enseñado que eso podría no suceder jamás. Tenía que ser audaz, como su antepasada Camille. Tenía que idear un plan.

Cuando estaba lista para irse a trabajar ya había pensado una estrategia que se acercaba mucho al plan trazado por Camille para conseguir a su jeque.

Sarah se vestiría para matar, y cuando encontrara al hombre de sus sueños, le seduciría.

Capítulo Dos

Sarah encontró un lugar en el aparcamiento que había al lado del edificio histórico que albergaba el consulado de Zahir. Cuando salió del coche, una ráfaga de aire frío del mar le revolvió el pelo alrededor de la cara. Se subió un poco el cuello del abrigo y se estremeció; el vestido de seda roja no estaba hecho para el frío de las noches de Wellington. Cerró el coche y se dirigió hacia el consulado.

Estaba algo nerviosa por los cambios que había hecho, sobre todo el nuevo maquillaje y las botas negras con unos tacones varios centímetros más altos de los que solía llevar. Pasó a toda prisa por delante de un grupo de hombres jóvenes que pululaban alrededor de la zona cubierta de unos de los bares de la calle.

El viento volvió a levantarse, abriéndole un poco el abrigo y levantándole la fina falda del vestido, dejando al descubierto más piernas de la que tenía por costumbre enseñar. El teléfono sonó cuando se agarró las solapas del abrigo y se bajó la falda. Ignoró el bombardeo de comentarios y el silbido que escuchó, sacó el teléfono y contestó la llamada.

Graham había llegado pronto y ya estaba dentro porque tenía la esperanza de llegar a conocer al jeque de Zahir, ya que se rumoreaba que estaba en la ciudad. Como hacía frío y estaba a punto de empezar a llover, decidió no esperarla fuera como habían quedado.

Irritada, aunque no sorprendida por la falta de consideración de Graham, Sarah subió los escalones que llevaban al consulado y entró en el cálido y bien iluminado vestíbulo.

Fue recibida por un hombre corpulento con la cabeza rapada y vestido con un traje impecable. Comprobó su invitación y apuntó su nombre en un registro. Cuando le devolvió la invitación lo hizo mirándola fijamente. En Nueva Zelanda no era normal semejante escrutinio. Sarah estaba casi segura de que no se trataba de un oficial del consulado. Si el jeque estaba allí, lo más lógico sería que aquel hombre fuera uno de los guardaespaldas del jeque. Aunque era una nación cristiana, Zahir, una isla mediterránea, estaba atrapada entre Oriente Medio y Europa. El anciano jeque había sido secuestrado unos años atrás, así que se rumoreaba que ahora viajaba con una escolta armada.

Sarah colgó el abrigo en la barra prevista para tal efecto. Atravesó un elegante pasillo y llegó a la abarrotada sala de recepción. Era un cóctel y una velada promocional dirigida a vender Zahir, con su colorida historia como avanzadilla templaria y como destino turístico. Sarah esperaba ver coloridos atuendos orientales, pero se encontró con muchos invitados en trajes de chaqueta y mujeres con vestidos grises y negros frente a los que Sarah destacaba como un ave del paraíso.

Decidida a superar la vergüenza, se acercó a un expositor relacionado con la misteriosa desaparición de los restos de la dote de Camille. Un miembro de la familia del jeque la ocultó antes de la evacuación por la Segunda Guerra Mundial. La ubicación del escondite se perdió cuando ese miembro de la familia murió durante un bombardeo.

Un hombre bajo y calvo vestido con traje gris se detuvo también frente al expositor, pero parecía más centrado en mirarle a ella el escote. Molesta por su falta de educación, Sarah le lanzó una mirada gélida que le hizo apartarse. Pensó en volver a ponerse el abrigo para cubrir el colorido del vestido, pero se negó a salir corriendo solo por estar despertando la atracción masculina. Después de todo, aquella era la intención.

Un camarero le ofreció una copa de vino. Sarah la agarró con cierta desesperación y bebió despacio mientras se acercaba al exhibidor de las armas templarias. Leyó las notas sobre los caballeros que lucharon bajo el mando del jeque Kadin. Dejó la copa en una mesita que había al lado y se acercó más, irresistiblemente atraída por el arma más larga: una siniestra espada llena de marcas con aspecto de haber sido usada muchas veces. Una pequeña etiqueta indicaba que la espada había pertenecido al jeque. En aquel momento recordó un pasaje del diario que señalaba el primer encuentro de Camille con Kadin.

Un guerrero muy alto de melena negra y mojada, ojos negros entornados al viento y una espada de aspecto robusto en la mano llena de heridas de guerra.

La fascinación que se había apoderado de Sarah cuando leyó el diario de Camille volvió con plena fuerza. Una pequeña etiqueta avisaba de que no se podían tocar los exhibidores, pero el poderoso impulso de sentir la espada pudo más que la prohibición.

Sarah contuvo el aliento y deslizó las yemas de los dedos por la empuñadura de la espada. El frío del metal le atravesó la piel. Una décima de segundo más tarde, el soporte que sostenía la espada se soltó y la pesada arma cayó sobre el suelo enmoquetado con un golpe seco.

Avergonzada, Sarah se inclinó para recogerla con la esperanza de poder dejarla en su sitio sin que nadie se diera cuenta. Antes de poder agarrarla, una mano larga y bronceada se cerró sobre la empuñadura de bronce. Un hombre alto y de hombros anchos se incorporó con fluida elegancia con la espada en la mano, y el corazón de Sarah dio un vuelco al ver que el mundo de los sueños se le fusionaba con el presente. El hombre era tan alto que la mirada de Sarah quedaba a la altura de su mandíbula. Ladeó la cabeza y le miró a los ojos. Contuvo la respiración al darse cuenta de que era el hombre con el que se había tropezado el día anterior. La tensión que había impregnado el sueño le tensó todos los músculos cuando se fijó en el pelo oscuro y corto, la nariz recta y la intrigante cicatriz del pómulo.

El hombre frunció el ceño como si la hubiera reconocido, pero no recordara dónde la había visto. Una décima de segundo más tarde su mirada cambió y ella se preguntó si no habría imaginado aquel momento de intenso interés.

El hombre bajó la mirada a las manos de Sarah.

–¿Estás bien? Por un momento pensé que podrías haberte cortado.

El tono y el acento cosmopolita eran inequívocamente europeos. Unido al pelo corto y al traje, Sarah tuvo la certeza de que se trataba de un ayudante del jeque o de un guardaespaldas.

Sonrió y le mostró las palmas para mostrarle que no estaba herida.

–Estoy bien, solo un poco asombrada de que la espada no estuviera bien segura. Sobre todo porque perteneció al jeque Kadin.

Durante otro intenso instante, pareció que la mirada del hombre le recorría la boca.

–Tienes razón, el lobo de Zahir no habría sido tan descuidado. Hablaré con el personal que montó el exhibidor.

Sarah apartó la mirada de la línea de su mandíbula.

–Oh, no hace falta... ha sido culpa mía. No tendría que haber tocado la espada.

El hombre volvió a dejar el arma en su sitio con un movimiento grácil. Para sorpresa de Sarah, en lugar de seguir su camino, le tendió la mano y se presentó como Gabriel. Gabe para los amigos.

Sorprendida por la informalidad y porque quisiera seguir conversando con ella, Sarah le estrechó brevemente la mano y le dijo su nombre. Sintió el calor de su palma.

–Soy profesora de historia.

Captó su expresión de sorpresa y se le cayó el alma a los pies. Era alto, guapo, sexy... completamente distinto a Graham. Y aunque resultara increíble, parecía estar interesado en ella. Y ella acababa de arruinar la imagen de sexy sofisticación en la que había invertido tantas horas. Si fuera lista habría dejado a un lado su trabajo en la enseñanza y habría hablado de viajes a lugares exóticos.

–Supongo que eres profesora de historia de los templarios, ya que has venido a esta exposición.

Sarah se puso todavía de peor humor al darse cuenta de que ahora tenía que hablarle de su aburrida y prosaica formación.

–Estoy especializada en la Revolución Industrial y en las dos guerras mundiales –dejó escapar un suspiro resignado, convencida de que no tenían nada en común–. ¿Y tú?

–Cinco años en Harvard. Pero yo estudié Empresariales, me temo.

Parecía casi tan pesaroso como ella. El corazón le latió más rápido. Así que no era guardaespaldas a pesar de los músculos. Tal vez fuera uno de los asesores financieros del jeque.

En aquel momento aparecieron dos hombres árabes vestidos de traje. El más alto, que llevaba un destornillador, se dispuso al instante a arreglar el soporte de la espada. El otro hombre, más grueso, le dirigió a ella una mirada de desaprobación y comenzó a hablar en un idioma que le pareció zahirí.

Gabe le atajó con una frase corta. Graham acababa de aparecer unos metros más allá, agitando la cabeza como si de pronto se hubiera acordado de buscarla. La miró y clavó la vista en el escote de su vestido. Cuando sacó el móvil del bolsillo y se dio la vuelta con gesto irritado, Sarah se dio cuenta de que no la había reconocido.

Los dos hombres vestidos de traje se marcharon y ella se fijó en que la espada estaba colocada en el exhibidor. Sarah fue consciente de que Gabe no se había marchado como ella esperaba, y que la observaba con expresión enigmática, como si hubiera presenciado el intercambio con Graham.

Mortificada por el lío que había amontado, se apresuró a disculparse.

–Leí la advertencia. Sabía que no debía tocar la espada…

–Tarik no estaba preocupado porque la espada sufriera algún daño. Sobrevivió a la tercera cruzada, así que no le pasa nada por caer sobre la moqueta. Le preocupaba más la tradición que acompaña a la espada.

Sarah cayó entonces. La espada era el mayor símbolo de hombría en la Edad Media, y aquella había sido una espada templaria.

–Por supuesto, el voto templario de castidad.

A Gabe le brillaron los ojos.

–Y está la superstición de que el tacto de una mujer puede inhabilitar la potencia de un guerrero en la batalla.

Un extraño calor la atravesó al darse cuenta de que estaba disfrutando de aquella charla con el hombre más atractivo que había conocido en su vida.

–Parece más bien una forma de echarle la culpa a otra persona por un mal desempeño en el campo de batalla.

–Tal vez –Gabe esbozó una leve sonrisa–. Pero en aquel entonces, cuando en Zahir una mujer tocaba la espada de un hombre también se veía como una declaración de intenciones.

Sarah contuvo el aliento.

–¿Y si ella tenía solo curiosidad?

Él la miró a los ojos y Sarah experimentó una tensión más aguda de la que había vivido en su sueño.

–Entonces el guerrero podía exigir una sanción. Aunque la mayoría de los templarios que llegaron a Zahir terminaron por renunciar a sus votos.

–Incluido el jeque, que se casó.

La frialdad de su expresión cuando ella mencionó el matrimonio fue como un jarro de agua fría. Sarah se preguntó si estaría casado. Al pensarlo sintió una punzada de desilusión. No llevaba anillo, pero eso no significaba nada. Podría estar casado y con hijos y no llevarlo.

Se escuchó un sonido procedente del bolsillo de la chaqueta de Gabe. Frunció el ceño, se excusó y se dio media vuelta para atender la llamada.

Incómoda y molesta al sentirse fascinada por un completo desconocido, Sarah recordó su copa de vino. Le dio un raudo trago y entonces le sonó el teléfono. Volvió a dejar la copa, buscó en el bolso y sacó el móvil. Tenía otro mensaje de Graham, pero no era nada romántico, ni siquiera educado: «¿Dónde estás?».

Enfadada por su irritación y su falta de caballerosidad al no esperarla fuera como habían quedado, Sarah pulsó la tecla de borrado y volvió a guardar el móvil en el bolso.

Gabe terminó su llamada.

–¿Estás con alguien? Me he fijado en que entraste sola.

Sarah no podía darle importancia al hecho de que se hubiera fijado en su llegada. Era la única persona vestida de rojo en un mar de negro y gris.

–Yo... he quedado con alguien.

–¿Un hombre?

Ella contuvo las ganas de decir que no, pero eso habría sido mentir.

–Sí.

Gabe asintió, pero Sarah tuvo la impresión de que si le hubiera dicho que estaba sola la velada habría dado un giro mucho más interesante del que cabía esperar con Graham.

Gabe consultó su reloj con expresión neutral.

–Si me disculpas, tengo que hacer una llamada.

Sarah contuvo la sensación de decepción. Cuando Gabe se marchó hizo un esfuerzo por buscar a Graham.

Lo vio al otro lado de la sala envuelto en una animada conversación con un hombre que llevaba traje y *kufiyya*, el tradicional pañuelo árabe. Observó al hombre árabe, que seguramente debía ser el jeque. Había leído mucho sobre Zahir, pero sobre todo historia, ya que se trataba de un país pequeño y pacífico que normalmente no salía en las noticias. Sabía que el jeque era más bien mayor y que se había casado con una neozelandesa de Wellington, lo que explicaba los estrechos lazos de Zahir con su país.

Sarah se acercó cuando el hombre de la *kufiyya* se alejó y por fin pudo establecer contacto visual con Graham.

–¡Tú!

Sarah miró a Graham y se preguntó, no por primera vez, cómo un hombre tan guapo podía inspirar en ella poco más que irritación.

–Así es, tu cita.

Él sacudió la cabeza como si no pudiera creer lo que estaba viendo.

–Si me hubieras dicho que ibas a cambiar de aspecto...

Sarah apretó la mandíbula ante la poco halagadora respuesta de Graham. Como si el hecho de ponerse un vestido, un poco de maquillaje y arreglarse el pelo fuera una especie de disfraz.

–Este es mi aspecto.

Graham le miró la boca y ella se preguntó si no se habría puesto demasiado lápiz de labios.

–Normalmente no. En caso contrario nos habría ido un poco mejor.

Sarah se dio cuenta entonces de que había una buena razón por la que nunca le había gustado Graham. No solo era egocéntrico y lascivo, también tenía una vena desagradable.

–¿Qué te parece si lo hacemos fácil para los dos? A partir de ahora no me llames y no aparezcas por casa de mi madre para cenar. Me gustaría un corte radical.

Graham la miró con los ojos entornados.

–¿Y qué pasa con el diario? Me dijiste que podía echarle un vistazo.

–Eso era lo único que querías, ¿verdad?

–Yo no diría eso exactamente.

No, porque lo que de verdad quería era encontrar la dote perdida y quedársela. Sarah aspiró con fuerza el aire y lo dejó escapar lentamente. Los dos primeros hombres de su vida la habían dejado por otra mujer; eso podía aceptarlo. Pero que Graham prefiriera un libro y la posibilidad de cobrar dinero antes que a ella era la gota que colmaba el vaso.

–Olvídate del diario. Es un documento familiar y privado. Es más fácil que se congele el infierno a que te lo deje.

Enfadada y herida, molesta por haber perdido los nervios pero aliviada por haber terminado con Graham, Sarah se dio la vuelta sobre los talones y se quedó paralizada al ver a Gabe hablando con una señora mayor. Estaba lo suficientemente cerca como para haber oído parte de su conversación con Graham. La miró a los ojos y durante un instante la sala llena de gente desapareció. Entonces pasó por delante un camarero con una bandeja llena de copas y se rompió el hechizo.

Se le formó un nudo en el estómago al sentir una corazonada femenina. A pesar de que sabía que tenía una cita, Gabe había ido a buscarla cuando colgó la llamada. Al verla hablar con Graham se había detenido lo suficientemente lejos como para dejarle algo de intimidad pero cerca para echarle un ojo.

Graham no la encontraba atractiva, pero de pronto se dio cuenta de que Gabe sí. Hablar con él frente al exhibidor de la espada había sido fácil; no había nada en juego. Pero supo instintivamente que una segunda conversación significaría mucho más. Significaría que tendría que tomar una decisión. De pronto, el concepto de no seguir la norma de nada de sexo sin compromiso le pareció lleno de agujeros, porque lo que de verdad buscaba era amor, no sexo.

Se sentía completamente perdida. Apartó la vista y se dirigió hacia el baño para recomponerse.

Abrió la puerta y entró en el baño de mujeres. El espejo le devolvió una imagen de pelo revuelto, ojos pintados, vestido ajustado y botas negras. Se le sonrojaron las mejillas al registrar lo que Gabe veía. Graham tenía razón. Apenas se reconocía a sí misma. La mujer del espejo era exótica y segura de sí misma. Experimentada.

Se preguntó si Gabe solo veía el envoltorio y la

posibilidad de una noche de pasión. ¿Y si, igual que Graham, Gabe no se sentía atraído por cómo era ella realmente?

Sacó el lápiz de labios y se retocó. Tenía los dedos ligeramente temblorosos. La certeza de que Gabe se sentía atraído por ella, de que las mejoras que había hecho en su aspecto funcionaban, resultaba inquietante. No esperaba una respuesta tan rápida.

Debería estar emocionada por su éxito. Pero se sentía vulnerable. Tal vez fuera porque en su mente Gabe estaba unido al sueño que había sido la catarsis de aquel cambio. Apenas sabía nada de él, pero en cuando agarró la espada le había dejado una impresión imborrable: simbolizaba lo que Sarah quería.

Se quedó paralizada cuando la última pieza del puzle de su disfunción con los hombres encajó en su sitio. Aspiró con fuerza el aire. La razón por la que no había tenido intimidad con nadie, ni siquiera con sus prometidos, se debía a que bajo su apariencia práctica y académica era una idealista. Peor todavía, era una romántica.

Buscaba un caballero.

Cuando volvió a la sala de recepción, a pesar de haberse dado a sí misma una charla sobre los peligros de proyectar fantasías románticas en un hombre que apenas conocía, se encontró buscando a Gabe. Al no encontrarlo se sintió decepcionada. En una sala contigua iba a empezar una conferencia sobre Zahir. Sarah entró y le vio al fondo, hablando con un oficial del gobierno. Mientras se debatía sobre qué hacer, si acercarse a él con valentía o ignorar aquellas emociones tan intensas, una joven muy elegante se aproximó a Gabe y le rodeó con sus brazos.

Paralizada por la desilusión, Sarah se giró, se dirigió al vestíbulo y se dispuso a buscar su abrigo. Se alegraba mucho de no haberse acercado a Gabe, porque al parecer tenía novia, o esposa.

Frunció el ceño mientras rebuscaba en la fila de abrigos. Sacó uno que se parecía al suyo pero que no era. Seguramente alguien se había marchado con prisas y se había confundido. Por mucho que necesitara un abrigo, no se llevaría uno que no era suyo.

Una vez fuera cayeron relámpagos y se escucharon truenos a lo lejos. Siguiendo la Ley de Murphy, la lluvia que antes era ligera se había convertido ahora en una tormenta tropical.

Sarah se detuvo ante la puerta doble de la entrada, reacia a salir con semejante aguacero. Percibió un movimiento y giró la cabeza. Vio a Gabe hablando con el hombre calvo que le había tomado la invitación.

Consciente de que en cuestión de segundos podría darse la vuelta y verla en el vestíbulo mirándole, Sarah abrió las puertas y salió al exterior.

Cuando bajaba los escalones, la lluvia y el viento helado le provocaron un escalofrío. Se detuvo al borde de la zona cubierta y salió a la noche salvaje y mojada.

El bajo del vestido se le empapó al instante. El agua se le filtraba por las suelas de las botas cuando cruzó entre los coches que brillaban bajo la luz de las farolas.

El aparcamiento parecía estar mucho más lejos que cuando llegó. Se apartó el pelo empapado de los ojos. Rebuscó en el bolso para sacar las llaves. Apretó el botón y lamentó haber aparcado tan cerca de aquella discoteca. Cuando abrió la puerta fue consciente de la presencia de un grupo de sombras oscuras congregado bajo el saliente del edificio que albergaba la discoteca. Sarah cerró la puerta al entrar por si los jóvenes pretendían hacer alguna estupidez.

Metió la llave en el contacto. El motor hizo su ruido familiar, pero se negó a arrancar. Lo intentó dos veces más, pero la batería emitió un sonido como si se estuviera agotando y luego se detuvo. Sarah no era mecánico, pero supuso que el viento había impulsado la lluvia bajo el capó y se había mojado. El coche no arrancaría hasta que consiguiera secar el motor.

Graham seguía allí dentro. No quería pedírselo, pero tendría que ayudarla. Gimió y le puso un mensaje. Como no obtuvo respuesta, le llamó. La llamada fue directa al buzón de voz.

Sarah decidió que sería mucho más fácil volver a entrar en el consulado y pedir ayuda, así que agarró el bolso y salió a la lluvia, que por suerte había remitido un poco. Una mano en el hombro hizo que diera un respingo.

–¿Tienes problemas, cariño?

Ella se puso tensa al sentir el contacto de un desconocido y se apartó del poderoso olor a alcohol.

–Nada que no pueda solucionar, gracias.

El hombre sonrió.

–Seguro que puedo ayudarte.

Se escuchó una risa contenida detrás de él. Sarah se dio cuenta de que había dos hombres más iguales al primero, vestidos de cuero negro y que tenían *piercings* y tatuajes.

El más alto de los dos sonrió.

–No te la quedes para ti solo, Ty. Todos queremos ayudar a la dama.

Sarah apretó la mandíbula y pensó en la posibilidad de entrar otra vez al coche y cerrar las puertas, pero decidió no hacerlo. Los hombres podían entrar a la vez que ella y entonces estaría en una posición peor.

Violación. Aquel espantoso pensamiento la estremeció. Era virgen. Se había reservado para el amor y el matrimonio. La primera vez que estuviera con un hombre no podía ser de manera forzada.

Se escucharon unos pasos cruzando el aparcamiento. Ya no estaban solos.

–No necesito ayuda. Mi novio está aquí. Él arreglará el coche.

–¿Qué novio? –el hombre más alto la agarró del brazo cuando ella intentó apartarse.

–Este novio –murmuró una voz grave. Gabe rodeó un coche y apareció bajo la luz.

Capítulo Tres

El hombre alto, que ya no parecía tan alto al lado de Gabe, se frotó los nudillos y dio un paso atrás.

–Eh, tío, lo siento –murmuró–. No sabía que estaba pillada.

Gabe se acercó un poco más. Cuando le tendió la mano, Sarah se la tomó.

–Aunque no estuviera «pillada» no tendríais que haberos acercado a ella. Pero como has dicho, está pillada, así que no volváis a molestarla.

El tipo alto dio otro paso atrás. Los otros dos ya se habían subido a su coche. Alzó una mano en gesto conciliador mientras abría la puerta de atrás del coche.

–Sí, tío. Es tuya. Completamente. No volveremos a molestarla –se subió al coche, que se puso en marcha con un rechinar de ruedas.

Gabe le soltó la mano a Sarah.

–¿Estás bien?

Sarah dejó las llaves del coche en el bolso. Tenía frío y le temblaban los dedos, pero apenas se dio cuenta de ello porque estaba centrada en el hecho de que Gabe hubiera ido tras ella. No sabía cómo la había localizado en la oscuridad, ni por qué había salido a buscarla bajo la lluvia.

–Ahora sí, gracias.

–¿Tienes problemas con el coche?

Ella parpadeó ante el cambio de tema. Gabe tenía la vista clavada en las luces del coche que se marchaba. Su expresión fría y lejana le provocó un escalofrío de satisfacción atávica. No solo Gabe había salido en su ayuda, sino que estaba preparado para luchar físicamente por ella.

Cuando le repitió la pregunta del coche se dio cuenta de que estaba tratando de distraerla de aquel desagradable encuentro. Sarah guardó el paraguas en el bolso.

–Creo que el motor se ha mojado.

Gabe, que se había colocado delante del coche, sacó el móvil del bolsillo y marcó una tecla.

–¿Todavía queda batería?

–Lo apagué antes de quedarme sin ella.

–Bien –Gabe habló en voz baja en zahirí y luego volvió a guardarse el móvil en el bolsillo–. Xavier le echará un vistazo al coche. No es mecánico, pero pasa mucho tiempo libre jugueteando con coches.

Sarah se subió un poco más la correa del bolso al hombro. Era un momento raro para darse cuenta de que el viento había amainado dando paso a una inquietante calma tras la tormenta. La noche parecía ahora pacífica.

Sarah se estremeció sin darse cuenta y se frotó los brazos, tratando de que no le castañearan los dientes. Ahora que ya no estaba cargada de adrenalina, el frío se le metió hasta los huesos.

–Supongo que Xavier es uno de los guardaespaldas del jeque.

El comentario era un poco incisivo, pero no le importaba. De pronto necesitaba saber más cosas sobre Gabe, cómo se ganaba la vida, cuánto tiempo se quedaría en Wellington, si tenía pensado volver...

Gabe deslizó la mirada sobre ella, haciéndola consciente de cómo se le pegaba el vestido rojo a la piel y de que tenía el pelo pegado a las mejillas.

–Solo cuando el jeque sale de Zahir.

Fue una respuesta confusa, como si el jeque estuviera todavía en Zahir, cuando Sarah sabía que estaba allí, en Wellington. Pero con Gabe acercándose a ella con los oscuros pantalones colgados de las caderas y la chaqueta húmeda, le resultaba difícil concentrarse.

–Estás fría –dijo él frunciendo el ceño–. ¿Tienes un abrigo en el coche?

–No… no tengo abrigo. Alguien se llevó el mío en el consulado por error.

Un instante más tarde, Gabe le puso la chaqueta por los hombros, inundándola con su olor a hombre y a sándalo. Sarah agarró las solapas para arrebujarse en la tela. A pesar de todas las advertencias que se había hecho a sí misma, no pudo evitar sentirse feliz de llevar su chaqueta, tan larga que las mangas le llegaban casi a las rodillas. Tras las desagradables situaciones con Graham y con los tipos de cuero, la caballerosidad de Gabe era como un bálsamo calmante.

Gabe consultó su reloj.

–Xavier viene de camino. Si me das las llaves del coche él le echará un vistazo. Mientras tanto te sugiero que vuelvas conmigo al consulado. Allí hay una suite para invitados donde podrás secarte mientras esperas.

Sarah se puso tensa al recordar a la mujer que le había rodeado con sus brazos.

–¿No le importará a tu novia?

Gabe compuso una expresión de sorpresa.

–No tengo novia. Si te refieres a la chica que estaba en la conferencia, es una prima a la que hacía años que no veía. Ha venido porque sabe que me marcho por la mañana.

El alivio al saber que aquella joven no era su novia fue remplazado casi al instante por la deprimente confirmación de que Gabe se marcharía en cuestión de horas.

La mano de Gabe le sujetó levemente el codo mientras la ayudaba a subir a un nivel superior del aparcamiento del consulado.

–¿Es ella la razón por la que saliste de la conferencia?

A Sarah se le secó la boca ante la franqueza de la pregunta, pero después de todo lo que había pasado no le pareció tan inquisitiva. Habría sido más fácil decir que había discutido con Graham y estaba triste, pero lo cierto era que lo que hubiera sentido por Graham había quedado completamente ensombrecido por su respuesta a Gabe.

Se iba a marchar dentro de unas horas.

Alzó la barbilla y le miró a los ojos. No tenía sentido ocultar lo que para él ya estaba claro. Se había sentido decepcionada al pensar que estaba comprometido con otra mujer.

–Sí.

Hubo un momento de silencio vibrante tapado únicamente por el lejano sonido del mar y por el agua que caía por los canalones. A Sarah se le formó un nudo en el estómago cuando Gabe la dirigió hacia una puerta que había en el lateral del consulado y se la sostuvo. En poco más de una hora habían conseguido un grados de intimidad increíble. Pero se le estaba acabando el tiempo con él. Pronto estarían con más gente y la conversación que tan importante se había vuelto de pronto habría terminado.

Como si le hubiera leído el pensamiento, el oficial administrativo, Tarik, apareció en el pasillo y avanzó hacia ellos con gesto de desaprobación. Ya era demasiado tarde para que Sarah le hiciera a Gabe la pregunta que la consumía por dentro.

Él sabía que se sentía muy atraída por él y que por eso se había marchado tan deprisa del consulado. Pero, ¿era la atracción el motivo por el que Gabe había salido a buscarla?

Gabe dejó a Sarah refrescándose en la sala de invitados que daba a su estudio y se dirigió por el pasillo a su suite. Volvió a revivir en la mente el momento en el que vio a ese tipo poniéndole a Sarah las manos encima. Cuando registró el peligro, los deseos y las intenciones que le habían llevado a salir al exterior en medio de la tormenta nocturna colapsaron en una única realidad.

Deseaba a Sarah Duval.

No le había gustado que tuviera una cita. Y menos todavía que aquel borracho la hubiera tocado. Lo que suponía una locura, porque Gabe apenas la conocía y no tenía ningún interés en ataduras emocionales. Pero por alguna extraña razón, no podía quitársela de la cabeza. Su mente ya la había hecho suya.

Cuando abrió la puerta, Xavier salió del ascensor y le siguió hasta la suite. Gabe agarró una toalla del baño y empezó a secarse el pelo y la cara.

–¿Cuál es el veredicto del coche?

Xavier se encogió de hombros.

–Podríamos ponerlo en marcha en media hora si lo metiéramos en el garaje del consulado. Pero para llevarlo hasta allí necesitaríamos una grúa. Lo mejor que podríamos hacer es llamarle un taxi.

–No –Gabe se deshizo el nudo de la corbata, se quitó la camisa mojada y lanzó ambas prendas a la cesta de la ropa.

Lo sensato era hacer lo que Xavier sugería. Lo último que necesitaba era una complicación que dificultara todavía más el compromiso que tenía que asumir por la mañana. Pero desde que Sarah entró en la sala de recepción envuelta en rojo con el oscuro y sexy cabello revuelto, el deber de su inminente matrimonio le pareció secundario. Cuando ella desobedeció todas las instrucciones y puso las manos en la espada de su antecesor, Gabe se quedó hipnotizado.

El hecho de que tirara la espada, que era un objeto secreto en Zahir, la hacía todavía más interesante.

Era profesora de historia. Contra todo pronóstico, Gabe se encontró sonriendo.

Nunca había visto una profesora de historia así.

Gabe entró en el dormitorio para buscar una camisa limpia. En la última hora había sucedido algo curioso. Se sentía más ligero y despreocupado, como si le hubieran quitado un peso de encima.

Porque por primera vez desde hacía años no se había sentido perseguido por el fantasma de Jasmine al mirar a otra mujer.

Supuso que había ayudado el hecho de que Sarah fuera literalmente opuesta a Jasmine: alta, con curvas y con una mirada decidida, en lugar de delicada, frágil y dulce. Cuando Sarah se tropezó con la espada de Kadin, la separación de Gabe con su pasado pareció completarse. Jasmine odiaba todas las reliquias templarias y la violenta historia que las acompañaba. Sarah parecía estar fascinada.

Gabe se quedó mirando las camisas del armario en busca de alguna que no pareciera de sala de juntas. Una prenda que indicara que tenía una vida.

–Voy a llevarla a casa.

Xavier murmuró algo entre dientes.

–No me parece una buena idea. Y seguro que a tu padre tampoco.

Gabe se puso una camisa oscura y se la abrochó. La atracción que le había llevado a salir a la noche en busca de Sarah se convirtió en una determinación firme. La incomodidad de Xavier era reflejo de la suya, porque Gabe no solo quería pasar más tiempo con Sarah... la deseaba. Punto. A tan solo unas horas de renunciar a su vida, no estaba de humor para negar una respuesta que tal vez no volvería a sentir nunca.

–Ahora mismo están pasando muchas cosas que no son precisamente buenas ideas.

Un sistema financiero pasado de moda que no permitía la inversión extranjera que Gabe llevaba años proponiendo y el matrimonio que era el plan de saneamiento económico para Zahir.

–El matrimonio es solo un acuerdo, podrías tener una...

–No –Zahir era un país occidental, pero también extremadamente conservador. Y Gabe tenía muy clara una cosa: no deshonraría sus votos ni la integridad de su familia.

Xavier parecía incómodo.

–A veces olvido la presión a la que estás sometido. Pero, ¿qué sabes de esa mujer? Podría ser una periodista en busca de una historia.

–Sarah no es periodista –Gabe se puso una chaqueta de cuero negra–. Y no irá a contarle nada a la prensa.

–Eso no lo puedes saber. Acabas de conocerla. No tienes ni idea de qué hará.

Gabe se quedó paralizado al recordar algo. La lluvia fría, una mujer de pelo oscuro doblando una esquina con la cabeza baja. Cuando la detuvo con las manos para evitar que chocara contra él se dio cuenta de que tenía el pelo recogido y la cara sin maquillaje. Ella sí parecía una profesora de historia. Pero era Sarah. En lugar de atemperar su atracción, aquel recuerdo tuvo el desconcertante efecto de aumentarla. En aquel momento, Gabe reconoció qué era lo que más le atraía de ella: el hecho de que en medio de la superficialidad del mundo en el que él se movía, ella fuera exactamente lo que parecía, una mujer directa sin miedo a ir a por lo que quería.

–La conocí ayer.

Xavier frunció el ceño.

–Peor todavía.

Todo lo que Xavier estaba diciendo era cierto. Normalmente no perseguía a mujeres que acababa de conocer. Debido a su posición, aceptaba que el equipo de seguridad comprobara los datos de las mujeres con las que salía. Pero desde que se había levantado aquella mañana estaba inquieto y de un humor rebelde.

–Relájate. Ella no sabe quién soy.

–¿Cómo es posible?

–Creo que esperaba que mi padre estuviera aquí –Gabe entró en el salón y le abrió la puerta a Xavier–. No necesito escolta. Tómate el resto de la noche libre.

Gabe esperó a que Xavier desapareciera en el ascensor antes de avanzar por el pasillo para ir a ver cómo estaba Sarah en la suite de invitados. Escuchó el sonido del secador en el baño, así que volvió a su suite y encendió el ordenador portátil. Había un mensaje de su padre y otro de su abogado, Hadad. Ambos, naturalmente, centrados en el contrato que Xavier le había llevado.

Les respondió brevemente a los dos y luego se sentó a examinar la lista de candidatas a esposa. Las preferidas de su padre estaban en la parte superior de la lista.

Observó la foto de Nadia Fortier. Era delgada y estaba muy bien vestida. Debía de tener dieciocho años.

Leyó la información que la acompañaba. Se había equivocado, tenía veinte. Diez menos que él. Repasó el resto de las candidatas. Todas eran extremadamente ricas, jóvenes y de buena familia, muchas de ellas estaban emparentadas con la nobleza. Chicas decentes de internados exclusivos educadas para hacer un buen matrimonio.

Gabe apretó las mandíbulas y dejó el documento sobre la mesita. Se acercó a uno de los ventanales que daba a las calles de la ciudad. Por muy bellas y perfectas que fueran aquellas jóvenes, ninguna le inspiraba el más remoto atisbo de deseo.

No como Sarah.

En aquel momento le resultó irresistible el deseo de abandonar la idea del matrimonio por interés y sumergirse en una apasionada aventura con la muy interesante señorita Duval. Gabe se masajeó los tirantes músculos de la nuca, entró en el dormitorio y agarró las llaves del todoterreno que había alquilado para su estancia en Nueva Zelanda. Al hacerlo dirigió la mirada hacia el retrato de Kadin y Camille. Camille iba vestida de rojo brillante, tenía la mirada directa y firme, y durante una décima de segundo, Gabe sintió un atisbo de la fascinación que había dominado la vida de su antepasado. Fue como un jarro de agua fría. Gabe estaba decidido a no dejarse llevar por una obsesión así.

Ya había probado la manipulación que iba de la mano con el exceso emocional. Por muy tentador que pudiera parecer dejar de lado la tradición y las necesidades de su país y hacer exactamente lo que quería, no podía evadir sus responsabilidades.

Salió de la suite y se dirigió a la habitación de invitados con un humor otra vez distante. Podía entender la ansiedad de Xavier, ya que el comportamiento de Gabe era impropio de él. Normalmente era responsable y hacía lo correcto, y al día siguiente escogería con qué candidata se casaría. Había dado su palabra.

Pero esta noche no quería pensar en el futuro. Estaba decidido a aceptar la invitación que había visto en los ojos de Sarah. Iba a pasar sus últimas horas de libertad con aquella fascinante dama de rojo.

***

Sarah terminó de secarse el pelo y se quedó mirando el resultado en el espejo que dominaba el baño de mármol color marfil. Con la grifería de oro y la bañera en escalera, la estancia resultaba decadente. Se le había ido el maquillaje con la lluvia, tenía el vestido todavía mojado y pegado al cuerpo, pero por suerte la seda se secaba rápido.

Sin el glamour y la magia de la farsa, no se podía ignorar el hecho de que, igual que Cenicienta a medianoche, volvía a ser una vez más la sosa Sarah Duval. Pero ya no se sentía así. Tenía las mejillas ligeramente sonrosadas y un brillo nuevo en los ojos.

Tal vez se debiera a que, justo cuando pensaba que no tenía ninguna posibilidad con Gabe, él había salido a la noche y la había rescatado. Ahora tenía acceso a uno de los elegantes apartamentos privados del jeque, y de pronto, el escenario que tenía planeado parecía aterradoramente posible.

Sarah dejó la enorme y esponjosa toalla en el cesto, comprobó que no se había dejado nada detrás, se colgó el bolso al hombro y entró en el lujoso dormitorio, que daba a un estudio.

El corazón le golpeó con fuerza el pecho al ver a Gabe de pie frente a uno de los ventanales del estudio viendo caer la lluvia, que había empezado de nuevo. Cuando se dio la vuelta, Sarah captó la admiración de su mirada y al mismo tiempo se dio cuenta de que se había puesto ropa seca. Si antes tenía un aspecto formidable y un tanto altivo con traje, la camisa oscura, la chaqueta de cuero negro, los estrechos pantalones y las botas conseguían justo el efecto contrario, haciéndole parecer más joven y mucho más cercano.

Gabe señaló la lluvia que caía por la ventana.

–No podemos hacer nada con el coche esta noche con este tiempo. Si quieres puedo llevarte a casa. O llamar a un taxi.

A Sarah se le paró el corazón ante la oferta. Por supuesto, la opción sensata sería llamar a un taxi, pero enseguida supo que no iba a aceptarla.

–Si me llevas te lo agradecería.

–Ningún problema –Gabe agarró un juego de llaves que había en le mesita.

Cuando abrió la puerta, Sarah se fijó en un retrato al óleo de un hombre vestido de túnica que había en la pared.

–¿Ese es el jeque?

Gabe miró el cuadro, pero no parecía tener ganas de quedarse mirándolo.

–Sí.

Estaba claro que el cuadro se había pintado cuando el jeque era mucho más joven, pero con la barba y el atuendo tradicional, resultaba difícil distinguir su aspecto. No se parecía al hombre con el que Graham había estado hablando en la recepción, pero con tanto pelo en la cara resultaba difícil decirlo.

–¿Hay algún cuadro del jeque Kadin?

Gabe se quedó muy quieto mientras le sostenía abierta la puerta.

–¿El primer jeque Kadin?

Sarah salió al pasillo, distraída por la repentina sequedad de su tono.

–No sabía que hubiera más de uno.

Gabe pulsó el botón de un pequeño ascensor privado y le hizo un gesto para que pasara delante.

–Ese nombre se repite prácticamente en cada

generación de la familia del jeque –Gabe pulsó el botón de la planta baja–. El nombre es también muy popular en Zahir porque está vinculado con la prosperidad.

Sarah frunció el ceño ante la neutralidad de su tono.

–No pareces muy impresionado por el primer jeque.

–Es una historia antigua.

–Y una historia de amor antigua.

Las puertas se abrieron despacio. Gabe esperó a que ella saliera primero.

–Según cuenta la leyenda.

Sarah levantó la cabeza al escuchar el comentario.

–¿Crees que no había amor?

Gabe señaló un brillante todoterreno Cherokee situado al final del enorme garaje.

–Kadin estaba arruinado, Camille era rica. ¿Tú qué crees?

Aunque Sarah también había pensado algo parecido sobre los motivos de Kadin, frunció el ceño cuando entraron en las sombras levemente iluminadas. Tras leer las revelaciones personales de Camille sobre lo atraída que se había sentido hacia Kadin, no pudo evitar tomarse el comentario como algo personal.

–Entonces, ¿crees que como Kadin era un caballero y era guapo, Camille tuvo suerte de conseguirlo? ¿Que el dinero sirvió para compensar los defectos de ella?

Gabe se detuvo al lado del todoterreno con expresión enigmática.

–Digamos que si Camille no hubiera viajado

con una tonelada de oro y joyas, seguramente la historia habría dado otro giro.

Gabe le abrió la puerta. Aquel detalle calmó su necesidad de salir en defensa de su antepasada.

Sarah se puso el cinturón de seguridad e intentó relajarse mientras Gabe salía del garaje hacia la noche, pero la fácil camaradería del principio de la noche se había evaporado.

Unos minutos más tarde, cuando Gabe se detuvo frente a su cabaña, a Sarah se le formó un nudo en el estómago al saber que lo que habían compartido Gabe y ella desaparecería en cuestión de segundos.

–Gracias por traerme.

Sarah agarró el tirador de la puerta, pero antes de que pudiera abrirla, Gabe salió del coche y lo rodeó para hacerlo él. La lluvia seguía cayendo cuando ella agarró el bolso. Una vez los dos fuera, Gabe cerró la puerta.

–Te acompañaré a la puerta.

Sarah abrió camino hasta el porche, en el que brillaba una única luz. Se detuvo bajo el refugio del ancho y antiguo porche y sacó la llave de su casa del bolso. Un instante después abrió la puerta. La casa estaba tenuemente iluminada y parecía confortable.

Miró a Gabe y de pronto se sintió incómoda. Una parte de ella anheló volver a sentir la audacia que tenía al principio de la noche. Quería tener la confianza en sí misma necesaria para hacer lo que tenía planeado y lanzarse a una aventura salvaje y apasionada, agarrarle de las solapas, ponerse de puntillas y besarle. Pero por muy amable que hubiera sido Gabe llevándola a casa, estaba decidida a no hacer el ridículo malinterpretando la situación.

–Gracias por todo. Recogeré el coche por la mañana.

–No hay problema –Gabe sacó una tarjeta del bolsillo y escribió un nombre y un número en el dorso–. Xavier no estará, pero habrá una recepcionista. Ella tendrá las llaves.

Sarah agarró la tarjeta con cuidado de no rozarle los dedos y se la guardó en el bolso.

–¿Te vas a marchar temprano?

–Tengo asuntos que atender en Zahir.

Un poco desesperada ante la idea de que fuera a marcharse, buscó una razón para detenerlo aunque fuera unos segundos. La pregunta que la había consumido antes volvió a resurgir. Sarah alzó la barbilla.

–¿Por qué me seguiste cuando salí de la conferencia?

Los ojos de Gabe se clavaron en los suyos.

–No podía dejarte marchar.

Aquellas palabras le provocaron a Sarah un escalofrío. Sintió que había una gran conexión entre los dos. Podía verlo en sus ojos, sentirlo en cada célula de su cuerpo. No tenía ninguna lógica. Apenas se conocían, y sin embargo sabía en el fondo de su corazón había algo profundo y esencial entre ellos. Era un hombre perfecto, y en cuestión de minutos iba a perderlo.

Dejó escapar un suspiro.

–No te vayas. Todavía no.

Capítulo Cuatro

Gabe dijo algo en voz baja y luego posó la boca en la suya.

El calor y las sensaciones se apoderaron de ella, fue como si el tiempo se detuviera cuando se puso de puntillas, le rodeó el cuello con los brazos y apretó los labios contra él. Notó la solidez de los músculos de su pecho, el calor de sus brazos cuando la atrajo hacia sí, la firmeza de su erección.

Fue un beso suave y delicado, tan íntimo que la sorprendió. La habían besado antes muchas veces, pero en los otros besos Sarah era consciente de que había un elemento de rechazo. O no le gustaba su pareja, o no le gustaba como sabía o como olía.

Hubo ocasiones en las que se preguntó incluso si no sería algo frígida, pero los detalles que registró con Gabe eran todos positivos. Olía a limpio y a hombre y su sabor y su tacto le atravesaban los sentidos haciéndola sentirse débil. Aquel beso la llenó con un calor absorbente que la llevó a apretarse más firmemente contra él.

Sarah fue consciente de que se le resbaló la correa del bolso por el hombro. La lluvia caía alrededor del porche. Gabe alzó la cabeza y la miró a los ojos.

–Si quieres que me vaya deberías decírmelo ahora.

Sarah sabía que ninguna de las relaciones de su

pasado había salido bien porque había estado esperando la profunda conexión que necesitaba. Nunca le había sucedido con nadie, pero por alguna extraña alquimia, con Gabe sí le pasaba.

Aquella certeza le provocó un gran alivio. Había empezado a pensar que era rara, distinta, que nunca se casaría, que nunca tendría el calor de una familia, el marido y los hijos que eran el centro de la vida de sus amigas. Había empezado a creer que nunca podría ser amada de verdad.

Había un gran salto entre un beso y pensar que Gabe pudiera ser suyo. Hacer el amor con él sería un riesgo, pero no hacerlo sería todavía más arriesgado. Podría perder su única oportunidad de sentirse así, amada y deseada por el hombre que ella había escogido.

Le tocó la barbilla a Gabe y disfrutó del tacto de su barba incipiente. Guiada por un impulso que tenía las raíces en su sueño, le deslizó los dedos por la cicatriz que le cruzaba el pómulo.

Gabe bajó la boca hacia la suya, y una décima de segundo más tarde el mundo desapareció y Sarah se encontró entre sus brazos.

Un paso y estaban dentro de la casa. Escuchó cómo se cerraba la puerta y luego avanzaron.

–¿Dónde está el dormitorio? –preguntó Gabe alzando la cabeza.

Ella señaló hacia la izquierda. Unos instantes después la llevó hacia las sombras de la habitación iluminada únicamente por la luz del pasillo y la de la farola que se filtraba por la ventana. Gabe la dejó en el suelo, se quitó la chaqueta y la dejó caer. Volvió a besarla, la atrajo hacia sí y le bajó lentamente la cremallera del vestido. El aire fresco le acarició la piel y se dispuso a desabrocharle los botones de la camisa, aunque se detuvo unos instantes mientras él le quitaba el sujetador y le cubría los senos.

Gabe inclinó la cabeza y le tomó primero un pecho y luego el otro con la boca. La sensación le tensó todos los músculos y le provocó un anhelo pesado en el vientre. A pesar del frío de la noche y del sonido de la lluvia contra las ventanas, el calor que sintió en la piel la hizo sentir ardiente.

Apartando la boca, Gabe terminó de desabrocharse los botones que le quedaban y se quitó la camisa antes de atraerla hacia sí. Sarah aspiró con fuerza el seductor olor de su piel y le rodeó el cuello con los brazos para besarlo. Se siguieron besando con más pasión mientras Gabe la llevaba de espaldas hacia la cama. Sarah sintió la suavidad del colchón en las corvas y luego cayó sobre la colcha blanca con Gabe a su lado.

Él se colocó entonces encima. Hacía poco más de quince minutos había estado a punto de despedirse de él en el porche, y ahora estaban a punto de hacer el amor. Sarah se sintió desorientada al ver lo rápido que habían sucedido las cosas, pero la noche tenía una textura onírica y la intensidad de las emociones que sus caricias le provocaban era demasiado adictiva.

Sintió los dedos de Gabe tirando de sus braguitas y se revolvió, ayudándole a bajárselas por las piernas. Frustrada al ver que ella estaba desnuda y Gabe medio vestido, llevó las manos al cierre de su pantalón. Le bajó la cremallera y sintió su sedoso bulto entre las manos. Él murmuró algo entre dientes y se colocó entre sus piernas. Un instante después, Sarah lo sintió alojado en ella. Una sensación caliente e irresistible la atravesó mientras se apretaba instintivamente contra ella, invitándolo a hundirse más.

Gabe se puso tenso y trató de retirarse, pero, hipnotizada por la tormenta de sensaciones, Sarah lo apretó con más fuerza. Un segundo después, Gabe la penetró profundamente y el irresistible y creciente calor resplandeció y se disolvió en la noche.

Largos minutos después, Gabe se apoyó en un codo y miró hacia la oscura habitación con gesto reflexivo. Le acarició el labio.

–¿Qué posibilidades hay de que estés embarazada?

La pregunta le resultó impactante. Aunque era una posibilidad que Sarah había estado sopesando mientras intentaba adaptarse a la intimidad de lo que acababa de suceder y al modo tan desvergonzado en que se había apretado contra él antes de que Gabe tuviera oportunidad de ponerse un preservativo.

La crudeza de la pregunta volvió a traerla a la tierra de golpe. Había estado atrapada en su propia fantasía privada, pero cada segundo que pasaba resultaba más evidente que Gabe no compartía sus anhelos.

Sarah tragó saliva. Tenía que ser tan práctica como Gabe. Ella quería hacer el amor y lo habían hecho. Había sido un gran riesgo, y pasara lo que pasara, se negaba a lamentar lo que había sucedido.

Un bebé. La idea de que hubieran podido concebir una minúscula vida humana juntos resultaba asombrosa.

Tal vez Gabe solo estuviera interesado en una aventura de una noche, pero si había un bebé, Sarah quería tenerlo. Le encantaban los niños. Siempre había querido tener al menos uno.

Aspiró con fuerza el aire. El silencio de Gabe decía mucho, no quería complicarse la vida con un bebé. Ya que se iba a marchar por la mañana y no había comentado que pensara volver a Nueva Zelanda, tenía que asumir que cabía la posibilidad de que no volvieran a verse nunca.

–No te preocupes. No será ningún problema.

Si estaba embarazada ya era demasiado tarde. Y si Gabe no quería tener una relación con ella, aceptaría sola la responsabilidad del bebé.

Gabe le tomó la barbilla y la miró fijamente. Lo que vio en sus ojos debió satisfacerle.

–Nunca antes había hecho esto, así que no debes preocuparte por las enfermedades de transmisión sexual.

–Lo mismo digo.

–Bien –algo parecido al alivio le cruzó por la mirada.

Gabe se levantó de la cama y cerró las cortinas sobre la lluvia que seguía golpeando las ventanas. Sarah cayó entonces en la cuenta de que no se había percatado de que era virgen. Aquello no tendría que haberle importado, pero le importó. Aunque seguramente, debido a la rapidez con la que se habían unido, Gabe no había tenido tiempo para procesar nada más allá del hecho de que habían tenido sexo sin protección.

Sarah tiró de la colcha y se la subió para taparse con ella. Pero Gabe, que estaba en proceso de abrir el envoltorio de un preservativo, se lo impidió, volviendo a bajarla.

–No –le pidió con dulzura–. Quiero recordarte así.

Aquellas palabras, que sonaban a despedida, cayeron sobre ella como un mazazo.

A pesar de su innata cautela, mientras se besaban y se desvestían Sarah no había podido evitar sentir esperanza. Gabe y ella se darían los teléfonos. Él la llamaría desde Zahir y construirían de algún modo una relación. Y tal vez, solo tal vez, en algún momento del futuro podrían tener algo real y duradero.

La tensión se apoderó de ella mientras veía cómo Gabe se colocaba la protección en la penumbra. Con los bíceps bronceados y lustrosos y el pecho y los abdominales musculados, era hermoso de un modo salvajemente masculino, y Sarah le deseaba.

Pero no era suyo. La verdad estaba allí, en el sutil distanciamiento de su mirada. Cuando volvió a la cama con ella, Sarah se incorporó apoyándose en un codo y le miró directamente a los ojos.

–¿Estás casado?

–No.

–Bien –murmuró ella aliviada.

Sospechaba que Gabe no era tan libre como parecía, pero no quería saber que había una novia o alguien importante en Zahir. Si así era, lo que había entre ellos no era suficientemente fuerte para retener a Gabe. En su mente eso significaba que no era amor.

Amor. La idea la atravesó y le provocó una nueva tensión. Todo lo que había sentido Gabe era nuevo, intenso y apasionado. Dejó escapar un suspiro al darse cuenta de cuánto la había afectado. No entendía cómo era posible que alguien se enamorara en el espacio de unas cuantas horas, pero así había sido.

Sintió una presión en el pecho. Tragó saliva para contener el repentino deseo de echarse a llorar, volvió a tumbarse y besó a Gabe. La idea de que pudiera estar embarazada provocó que se sintiera todavía más inquieta. Cuando él le deslizó las manos a la cintura y la atrajo hacia sí, Sarah hizo un esfuerzo por olvidarse de la posibilidad del embarazo, por olvidarse del hecho de que Gabe se marcharía.

Si solo iban a tener una noche, estaba decidida a que fuera una noche para recordar.

Sarah se despertó por el sol que se filtraba a través de un hueco entre las cortinas. Bostezó y se dio la vuelta para mirar a Gabe, pero solo se encontró con las sábanas revueltas. Miró a su alrededor. No estaba su ropa.

Llamaron a la puerta de entrada y Sarah saltó de la cama. Se puso la bata y se pasó los dedos por el cabello revuelto. Su primera idea fue que Gabe debió haber salido a dar un paseo, o tal vez a comprar algo para desayunar.

Cuando abrió la puerta se encontró con un mensajero uniformado en el porche que llevaba un enorme ramo de perfectas rosas rojas.

A Sarah se le cayó el alma a los pies, agarró las

flores y las dejó en una mesita auxiliar antes de firmar el recibo. Cerró la puerta y aspiró el aroma del precioso y carísimo ramo. Enseguida comprobó que no había ninguna tarjeta.

Sintiendo un nudo en el estómago, llevó el pesado ramo a la cocina. Buscó un jarrón grande para ponerlas y entonces pensó que no sabía el apellido de Gabe. Tampoco le había pedido el teléfono, aunque él sí sabía su dirección, por lo que le resultaría fácil encontrarla.

Se inclinó para aspirar la fragancia de las flores. Mantendría una actitud positiva y se agarraría a la esperanza. Su instinto le decía que Gabe era especial, que a pesar de su distanciamiento, una precaución que ella conocía muy bien, valoraba sus apasionadas horas juntos tanto como ella.

La llamaría. Solo era cuestión de tiempo.

Gabe no podía permitirse volver a contactar jamás con Sarah.

Aquel pensamiento le puso todavía de peor humor cuando se subió al avión. Llegaba tarde.

Xavier, que le estaba esperando en la sala de embarque, se acercó a él con expresión tirante.

–Creí que iba a tener que ir a buscarte.

Gabe tomó asiento en la pequeña cabina del jet de lujo y entendió la implicación de lo que su amigo había dicho.

–No me digas que tenías un GPS en el todoterreno para seguirme la pista.

–Siempre hay un GPS. Eres el hijo del jeque, el heredero. Si alquilara algún vehículo sin rastreador me despedirían.

Gabe se abrochó el cinturón de seguridad para el despegue y se concentró en resistir la loca urgencia de desembarcar y volver al pequeño barrio en el que vivía Sarah.

–Por favor, dime que no volverás a verla.

Gabe no se molestó en contestar. Xavier estaba justificadamente enfadado porque estaba a cargo de su seguridad. Gabe se había soltado de la correa y le había dado una noche difícil. Pero lo cierto era que solo tenía una única noche para él.

Aunque la cosa se había complicado un poco.

Tenía la esperanza de que la atracción que sentía por Sarah perdiera potencia al hacer el amor con ella. Pero se había equivocado. A pesar del poco tiempo que habían pasado juntos, todavía sentía la fuerza de su conexión, el tirón emocional, lo que suponía una razón más para marcharse.

Cuando el jet alcanzó la velocidad de crucero, una bella azafata zahirí vestida con un elegante uniforme azul sirvió el café.

Gabe dejó el maletín sobre la mesita desplegable, lo abrió y sacó el contrato matrimonial. Xavier fingió estar leyendo el periódico mientras Gabe releía una vez más la lista de candidatas. Apretó las mandíbulas al ver a la joven que sus padres habían señalado como la número uno.

Observó su rostro sin ningún interés. Era guapa, pero le parecía sin personalidad. No había rastro de emociones tormentosas ni de audacia. No había ni rastro de una inteligencia aguda que pudiera hacer la vida interesante. Era un rostro que tendría que ver diariamente cuando estuvieran casados.

Xavier dejó el periódico.

–Si vas a seguir adelante con el matrimonio de conveniencia no tendrías que haber tenido una aventura de una noche con una profesora de historia de veintiocho años. Casi veintinueve.

Gabe controló la irritación que le produjo que Gabe se refiriera a las horas que había pasado con Sarah como una aventura de una noche.

–Supongo que tenías que hacer tus comprobaciones.

–Estaba preocupado. Normalmente no te sales así de la cuadrícula.

–Normalmente estoy demasiado ocupado.

Gabe trató de no pensar en la imagen de Sarah tumbada entre las sábanas con el pelo revuelto y se centró en el documento. Llegó a la cláusula que estipulaba que su futura esposa debía ser virgen, aquella era la razón por la que las candidatas eran tan jóvenes. Una virgen de veintiocho años era algo imposible.

O tal vez no.

A Gabe le dio un fuerte latido el corazón contra el pecho. Todas las terminaciones nerviosas de su cuerpo se pusieron en alerta cuando encajó la pieza que faltaba en el puzle de Sarah.

Era virgen.

Nada más podía explicar su extraño comportamiento. Era al mismo tiempo audaz y tímida, y no había utilizado ninguna técnica exótica. Solo había hecho el amor con él. Ninguna mujer había hecho el amor con él nunca de corazón, ni siquiera su mujer.

Qué tonto había sido. Sintió la constricción inicial, percibió el momento de incomodidad en su rostro, pero el significado de aquellas sensaciones se le pasó por alto. Teniendo en cuenta que la primera vez terminó casi antes de que empezara, eso podía explicar que se le pasara por alto.

–¿Qué ocurre? –Xavier debió ver algo en su expresión–. Por favor, dime que tomaste precauciones.

Después. Aunque no había querido hacerlo, y eso había sido algo nuevo para él. Pero desde el momento que vio a Sarah en la recepción había perdido el equilibrio. Se dio cuenta de que si jet no estuviera ya volando habría hecho algo precipitado, como bajarse del avión y negarse a celebrar un matrimonio que a la larga proporcionaría la estabilidad y el heredero que Zahir necesitaba. Se habría comportado de un modo emocional, algo que sabía por propia experiencia que destruía la felicidad y las vidas.

Dejó escapar un suspiro y se obligó a centrarse más en el perfil de Nadia. Conocía a su familia, por supuesto. Su padre era un multimillonario francés que había hecho fortuna con los transportes. Gabe respondió al correo electrónico aceptando a la candidata preferida, Nadia Fortier.

Su padre había decretado un noviazgo corto para darles tiempo a conocerse. Unos cuantos meses de gracia para conocer y aceptar a la mujer con la que iba a casarse.

Y para olvidar a Sarah Duval.

Capítulo Cinco

Cuatro meses más tarde, Sarah volvió a comprobar los resultados que le había dado su médico.

–¿Estás absolutamente segura de que estoy embarazada?

Evelyn alzó una ceja.

–No solo estás embarazada, sino muy embarazada, y creo que lo sabías. Tendrías que haber venido antes.

Atrapada entre la resignación, el agobio y la maravillosa sensación de asombro que se había apoderado de ella durante las últimas semanas, cuando registró los inconfundibles síntomas del embarazo, Sarah se guardó la hoja de papel en el bolso.

Por supuesto que se había dado cuenta de que no le vino el periodo. Pero esperó otro mes. Cuando volvió a suceder y empezó a tener náuseas, comenzó a aceptar lo ocurrido.

Le dirigió a Evelyn una mirada de disculpa.

–Lo siento. Necesitaba un tiempo para acostumbrarme.

Evelyn, que era amiga desde hacía mucho tiempo, no hizo ningún comentario sobre el hecho de que Sarah estuviera embarazada y no tuviera novio ni marido.

–Supongo que quieres tener el bebé, ¿verdad?

–Sí –afirmó Sarah con rotundidad.

–¿Puedes contarme algo del padre?

A pesar de estar preparada para la pregunta, a Sarah se le sonrojaron las mejillas. Aquella era la parte que le daba miedo. Sabía que algunos detalles del padre, como el tipo de sangre y las condiciones genéticas, eran importantes.

–No.

Se hizo un breve silencio. Evelyn bajó la cabeza, pero no antes de que Sarah viera un brillo de compasión en sus ojos. Evelyn conocía su pasado, iba a ser una de sus damas de honor en su primera boda y en la segunda. Y Sarah había llorado dos veces en su hombro por culpa de los hombres.

Pero no lloraría una tercera vez, porque en esta ocasión el error estaba en un nivel diferente.

Sarah no había sido cortejada por un hombre que tanto ella como su familia conocían bien. Había tenido una romántica noche de pasión salvaje con un desconocido exótico, una aventura de una noche, y luego él había desaparecido.

Sarah había cometido todos los errores posibles en el espacio de unas pocas horas, ligando con un desconocido, teniendo relaciones sexuales sin protección y quedándose embarazada. Ni siquiera sabía el apellido de Gabe. Lo único que sabía era que vivía a miles de kilómetros de allí, en una isla del Mediterráneo, y que trabajaba para el jeque de Zahir. Dado que Gabe no le había dado ningún detalle para que pudiera contactarle, quedaba claro que no tenía intención de volver a verla.

La actitud de Sarah había sido impropia de ella, y además una estupidez. Y todo porque se había dejado seducir por un sueño romántico y porque le daba miedo cumplir los treinta estando sola.

Tendría que haber sido mucho más inteligente. Ser madre iba a tener un enorme impacto en su vida. Para empezar, tendría que dejar su trabajo de profesora a tiempo completo porque quería estar en casa con su hijo. Eso significaba buscar un empleo alternativo, algo que pudiera hacer desde casa. Aunque ya se le había ocurrido una idea gracias al diario de Camille, por muy absurdo que pudiera parecer.

Sarah hizo un esfuerzo por relajarse. No debía entrar en pánico. Daría un paso después de otro.

–De acuerdo, ¿y ahora qué hago?

Evelyn firmó un formulario y se lo entregó a Sarah.

–Tendrás que hacerte un análisis de sangre y venir a verme dentro de una semana, pero siempre has gozado de buena salud, así que no creo que haya problemas.

Abrió un cajón y sacó un montón de folletos, escogió algunos y los puso encima de la mesa.

–Lee esto, no bebas alcohol y no tomes ningún medicamento a menos que yo te lo recete. Si has tenido náuseas es lo normal, pero si se vuelven muy fuertes ven a verme enseguida.

Evelyn puso en marcha la impresora y sacó una copia que le entregó a Sarah.

–Es un volante para una ecografía. Tienes que hacértela, porque estás al menos de cuatro meses. La clínica se pondrá en contacto contigo para darte fecha y hora.

Sarah se quedó mirando el volante. Una sensación de felicidad comenzó a extenderse dentro de ella. Si había algo que podía hacer del bebé algo real, era esto.

–Gracias.

Se guardó el papel en el bolso y se puso de pie. Evelyn la acompañó hasta la puerta.

–Si necesitas quedarte un rato para hablar puedo retrasar unos minutos la siguiente cita. Y cuando quieras hablar no tienes más que llamar a casa. A cualquier hora.

Sarah empastó una sonrisa. No quería confesarle a Evelyn lo ingenua que había sido en aquella historia.

–Estaré bien, gracias. No te olvides de que tengo madre.

–Por supuesto.

Sarah salió del centro médico al calor de aquel día de verano y sintió un ligero aleteo de mariposas en el estómago. Se detuvo y se llevó la mano al abdomen. El aleteo volvió y una sensación de felicidad se apoderó de ella. En solo unos meses sería madre.

Se quedó durante unos instantes de pie en la acera con el tráfico rodando a su alrededor. No tenía todo lo que quería en la vida. No tenía un marido que amar, pero iba a tener un bebé, algo que pensó que terminaría perdiéndose.

Sintiéndose desorientada y temblorosa, sacó las gafas de sol del bolso, se las puso y se acercó hasta donde había aparcado el coche. Abrió la puerta, entró y en lugar de dirigirse a su casa condujo hasta el consulado de Zahir.

Siguiendo un impulso, entró en el aparcamiento y encontró un lugar justo en la entrada principal. El corazón le latía con fuerza ante la idea que le acababa de surgir: debía al menos intentar contactar con Gabe. Revisó su aspecto en el espejo retrovisor antes de salir del coche. Tenía el peño recogido en un moño informal y le brillaba la piel. Rebuscó en el bolso y encontró un estuche de maquillaje. Se retocó los ojos y se aplicó brillo de labios.

Salió del coche, se atusó la amplia camisa blanca que iba a juego con los anchos pantalones color beis. Era un conjunto estiloso y elegante, aunque algo grande porque había empezado a perder la cintura.

Una recepcionista de cabello oscuro escuchó su petición.

–No tenemos a nadie llamado Gabe trabajando aquí. ¿Sabe el apellido?

Sarah le explicó que solo había estado en el país durante un corto periodo, con el séquito del jeque.

La mujer entornó entonces la mirada. Sarah supo que sabía a quién se refería.

La recepcionista se puso de pie.

–Un momento.

Sarah observó con el ceño fruncido cómo desaparecía en una oficina adyacente. Unos instantes más tarde volvió a aparecer con un hombre bajo y rechoncho. Era Tarik. A Sarah se le cayó el alma a los pies.

En un principio, Tarik fingió no haberla reconocido y luego aseguró no saber a qué Gabe se refería. Entonces ella perdió la paciencia.

–El Gabe que recogió la espada que yo tiré durante la recepción. El hombre que usted parecía conocer muy bien.

Se hizo un breve silencio.

–¿Tiene alguna fotografía?

Sarah frunció el ceño ante lo extraño de la pregunta.

–No.

Tarik pareció relajarse entonces. Su voz sonó dulce como la miel.

–No trabaja para el jeque. Estaba... cumpliendo una misión.

Ella apretó con más fuerza la correa del bolso.

–¿Qué quiere decir eso?

Tarik la miró fijamente.

–Quiere decir que no trabaja para el jeque.

–Entonces, ¿no me va ayudar a ponerme en contacto con él?

–No.

Molesta por ser tratada como una acosadora, Sarah se dio la vuelta y salió del consulado consciente de que tenía dos pares de ojos clavados en la espalda. Estaba convencida de que sabían perfectamente quién era Gabe y dónde estaba, y que por alguna razón oculta le estaban protegiendo.

Decidió con tristeza que seguramente la razón era que Gabe estaba casado aunque le hubiera dicho que no. Se metió en el coche y volvió a su casa echando humo. Su intención era agarrar el primer adorno zahirí que tuviera a mano y hacerlo añicos con la esperanza de sentirse mejor así. Pero a quien encontró en su casa fue a Graham.

Graham alzó la cabeza con expresión culpable. Tenía unos papeles en la mano.

–Creí que estarías en el trabajo.

Sarah dejó el bolso en una mesita auxiliar.

–Normalmente lo estaría, pero... –comprobó la hora en el reloj–. Eso te habría dado otras dos horas para robar lo que hayas venido a robar.

Graham forzó una sonrisa.

–Tienes buen aspecto, Sarah. Estás radiante. Deberíamos salir alguna vez.

Sarah no podía creer que tuviera tanto cuajo. Se fijó en que el diario de Camille de Vallois estaba en una mesita con el lomo roto.

–Has copiado el diario –y al parecer había tenido el valor de usar su papel y su fotocopiadora.

–Creí que no te importaría...

–Quieres decir que creías que nunca me enteraría.

Graham se sonrojó. Consultó el reloj como si de pronto tuviera mucha prisa

–Eh... tengo que irme. Vuelo a Zahir en unas cuantas horas y tengo que hacer la maleta.

Sarah le señaló la puerta abierta.

–Buena suerte buscando la dote perdida. Y si vuelvo a verte otra vez en mi casa llamaré a la policía.

La expresión de Graham se volvió decididamente desagradable.

–No volveré. ¿Por qué iba a hacerlo si ya tengo lo que quiero?

Sarah cerró de un portazo cuando Graham salió. Puso la cadena y luego volvió al salón, agarró el diario y se sentó. Aspiró con fuerza el aire y escuchó el sonido del deportivo de Graham.

La conversación con Tarik y el altercado con Graham la habían dejado agotada.

Se dirigió a su dormitorio para guardar el diario, pero cuando iba por el pasillo sintió que perdía el equilibrio. La cabeza le daba vueltas, estaba sudando y se agarró a la pared antes de entrar a toda prisa en el baño.

Unos minutos más tarde se lavó la boca y entró en el dormitorio. Hasta hacía unos minutos se sentía bien, sana y con más energía de lo normal. Pero ahora que finalmente había reconocido el embarazo, parecía que su cuerpo hubiera decidido mostrar algunos síntomas.

Abrió la puerta del armario y dejó el diario en una balda. Al hacerlo atisbó un destello rojo. Era el vestido que había llevado la noche que hizo el amor con Gabe.

Apretó la mandíbula para contener otra náusea, sacó el vestido y se sentó al borde de la cama mientras esperaba a que se le asentara el estómago. Debería librarse de aquel vestido, de su última asociación con Gabe, pero una parte de ella no podía. En el fondo de su corazón había sentido que entre ellos había una conexión. Lo que sintió y vivió fue demasiado real para ser falso.

Molesta consigo misma por lamentar el pasado, Sarah hizo un ovillo con el vestido rojo, se dirigió a la cocina y lo tiró a la basura.

Sintió otro mareo. Se agarró a la encimera. Se sentía fatal. ¿Sería capaz de pasar por aquello sola?

Sí. Le venía como anillo al dedo concentrarse en ser madre en lugar de esposa o amante, porque había terminado definitivamente con los hombres.

Tres días más tarde, Sarah fue a hacerse la ecografía y se quedó mirando hipnotizada la pequeña vida que crecía en su interior.

La enfermera, una mujer alegre de mediana edad, miró la pantalla.

–¿Quieres saber el sexo del bebé?

Impactada por lo claros que se veían los brazos y las piernas y el delicado rostro dormido, Sarah dijo al instante:

–Sí.

–Vas a tener una niña.

Sintió un nudo en la garganta. Ya no iba a tener solo un bebé, iba a tener una hija.

La enfermera le tendió sonriendo una caja de pañuelos de papel.

–Apuesto a que tu marido estará encantado.

Sara se secó los ojos, se sonó la nariz y trató de no pensar en qué querría Gabe.

–No tengo marido.

Había encontrado una nueva y mucho más satisfactoria meta en la vida que buscar a su caballero andante. Estaba decidida a aprender todo lo que pudiera sobre el parto y la maternidad, a disfrutar de los cambios de su cuerpo, de las incomodidades y los extraños caprichos. Cuando la niña naciera, pondría la teoría en práctica y trataría de ser una buena madre.

Cuando salió de la clínica al caluroso día con la copia de la ecografía en el bolso, un hombre alto vestido de traje se cruzó con ella, la miró y sonrió. Sarah sonrió automáticamente, aunque no le conocía de nada. Cuando giró la cabeza el hombre seguía mirándola con expresión de admiración. Se dio cuenta con un respingo de que estaba coqueteando con ella.

Abrió el coche, se sentó detrás del volante y miró su reflejo en el espejo retrovisor. Tenía el pelo recogido en un moño informal que le daba un aspecto desenfadado y sexy. Los ojos eran de un azul puro y profundo y sin duda le brillaba la piel, como si estuviera iluminada por dentro. A pesar del cansancio y las náuseas, nunca había estado mejor. No solo era atractiva; era bella. Una extraña sensación de ligereza se apoderó de ella. Por primera vez en años, sus fallidos compromisos no le parecieron importantes. La deserción de Gabe era demasiado reciente como para descontarla, pero también aquella decepción había dejado de resultar aplastante.

Se sentía más fuerte, más segura. Tal vez algún día encontraría a un hombre del que pudiera enamorarse y que a su vez la amara, pero si no sucedía no estaría lamentándose por ello.

Se abrochó el cinturón de seguridad, arrancó el coche y salió al tráfico. Lo único que faltaba por resolver era el misterio que rodeaba a Gabe. Necesitaba decidir si debería permitirle formar parte de la vida de su hija o no.

Y averiguar con qué clase de hombre se había acostado.

Capítulo Seis

Gabe se subió al avión en Dubái tras su reunión con el director de la empresa constructora que había accedido a construir el resort de Zahir. Con el compromiso de su boda ahora formalizado, un acuerdo financiero parcial había saneado un poco las cuentas de Zahir, permitiendo que el constructor retomara las obras.

Xavier le esperaba en la lujosa cabina del jet.

–Te he estado llamando.

Gabe frunció el ceño ante la presencia de Xavier cuando se dejó caer en el asiento a su lado.

–La cobertura de móviles es muy reducida en Buraimi, ya lo sabías –entornó la mirada–. ¿Qué ocurre? ¿Se encuentra bien mi padre?

–Está bien. Tu madre supervisa cada detalle médico. No se atreverá a no recuperarse.

Gabe sonrió a su pesar.

–Es difícil decirle que no a mi madre –era la mayor de ocho hermanos y tenía un título en Derecho y una calma inamovible y fría contra la que resultaba difícil luchar.

Xavier guardó silencio durante un instante.

–¿Has estado en contacto con esa tal Duval?

Gabe se quedó paralizado mientras se abrochaba el cinturón para el despegue. Esa tal Duval. Como si Sarah fuera dura y manipuladora, cuando Gabe sabía que era todo lo contrario.

La imagen de Sarah dormida cuando él se vistió y salió de su casa al amanecer le cruzó por la mente. El cabello oscuro, la línea de su cuerpo bajo la ropa de cama. Todos los músculos se le pusieron en tensión al recordar lo que había vivido al hacerle el amor, un recuerdo que había tratado de olvidar.

–Ya sabes que no. ¿Pasa algo? ¿Se encuentra bien?

–Eh... sí –hubo una pequeña pausa–. Tarik cree que podría estar embarazada.

Gabe sintió cómo le golpeaba el corazón contra el pecho.

–Creí que ya habíamos pasado el punto en el que había posibilidad de embarazo.

Era una idea que le había consumido durante varias semanas después de que hicieran el amor. A pesar de la complicación que hubiera supuesto un embarazo, una parte de él se había sentido loca e irresistiblemente atraído por la idea de que Sarah pudiera estar esperando un hijo suyo. Se agarró con más fuerza al reposabrazos del asiento.

Xavier se encogió de hombros.

–Hablé con Tarik hace un par de horas. Casi le da un infarto por teléfono.

Gabe se tiró de la cortaba para aflojar el nudo.

–¿Qué le hace pensar ahora que podría estar embarazada? Han pasado más de cuatro meses.

–Hace unos días fue al consulado para buscarte. ¿Por qué habría esperado tanto para hacerlo?

A Gabe se le aceleró el pulso al imaginar a Sarah enfrentándose a Tarik y tratando de sacarle información.

–Tal vez solo quería ponerse en contacto conmigo.

Xavier parecía frustrado.

–Por eso necesitas un guardaespaldas. A veces creo que tú y yo vivimos en universos diferentes. La recepcionista del consulado pensó lo mismo que Tarik. Cree que Sarah tenía aspecto de estar embarazada. Dijo algo sobre una blusa amplia y un brillo en el rostro.

–Un brillo no es prueba –aunque Gabe no pudo evitar que le gustara la idea de Sarah brillando.

–Tarik ha descubierto además algo interesante. Sarah es descendiente de la familia de Camille de Vallois.

Gabe frunció el ceño.

–Tiene que haber miles de descendientes de la familia de Vallois. Sin no recuerdo mal, eran ricos y prolíficos.

–Sí, pero normalmente no te acuestas con ellos.

Incómodo y molesto, Gabe miró por la ventanilla del jet mientras se alejaban de la ciudad y del mar azul de Dubái. Sabía dónde quería llegar Xavier.

Tal vez Sarah estuviera en cierto modo fascinado por la vieja leyenda. Tal vez aquella fue su motivación para acostarse con él. Lo único que no casaba era que cuatro meses atrás Sarah no sabía que él era el jeque. Creía que era un empleado.

Además, no había hecho amago de contactar con él hasta que fue al consulado y habló con Tarik. Gabe se perdió unos instantes en el fascinante concepto de Sarah embarazada de su hijo y buscándole.

Cuando el jet alcanzó la velocidad de crucero se quitó el cinturón de seguridad y sacó el ordenador portátil. Abrió el informe de vigilancia que había solicitado para que Xabier no tuviera una excusa para hacerlo. Aunque ya conocía al dedillo la rutina de Sarah, incluido el hecho de que se había apuntado recientemente a un gimnasio, había cambiado de peluquero y visitaba una vez a la semana un centro de belleza. Pero no era el informe lo que le interesaba, sino las fotografías que lo acompañaban. Imágenes de Sarah en su vida normal que había visto más veces de las que podía contar.

Observó a Sarah llevando un traje rojo y unas gafas de pasta negra que le daban un aspecto profesional y muy sexy. Sarah con unos vaqueros y un jersey ajustado yendo de compras. Otra foto en la que llevaba un vestido rosa con una raja lateral que dejaba al descubierto una buena porción de pierna bronceada. Gabe frunció el ceño al pensar en que parecía más femenina a medida que pasaban los meses. Una palabra desagradable surgió en su mente: «disponible».

Se reclinó en el asiento y apretó la mandíbula, molesto ante el hecho de que Sarah estuviera disponible. Pensó, y no por primera vez, que ahora que Sarah había despertado sexualmente se sentiría libre para acostarse con otros hombres.

Por encima de su cadáver.

No tenía ningún derecho sobre ella, pero si estaba esperando un hijo suyo la cosa cambiaba.

Aquel atávico instinto de posesión le pilló por sorpresa y le hizo tomar una decisión que le pareció correcta. Si Sarah estaba embarazada ya pensarían en algo. No sería feliz con él. Gabe la había dejado, y por una razón que todavía seguía vigente. Pero si había un niño implicado, su hijo, no estaba preparado para alejarse.

Las ramificaciones de convertirse en padre provocaron que le latiera con fuerza el corazón.

–Voy a ir a Nueva Zelanda.

Xavier alzó de golpe la cabeza.

–No puedes. Ya se ha fijado la fecha de tu boda, y además, a tu padre le dará un ataque si se entera de que tuviste una aventura de una noche con una profesora de historia de veintiocho años.

–Veintinueve –murmuró Gabe distraídamente mientras le escribía un breve correo electrónico a su asistente para que arreglara lo del vuelo–. Su cumpleaños fue hace unas semanas.

–¿Te acuerdas de su cumpleaños? –se hizo otro tenso silencio–. Lo sabía. Te estás enamorando de ella.

A Gabe se le encogió el estómago ante la idea de volver a enamorarse.

–El amor no tiene cabida en esta ecuación. El cumpleaños de Sarah está en el informe.

–Se supone que tendrías que estar intentando formar una relación con tu prometida. Nadia es inteligente, guapa... la mayoría de los hombres matarían por poder pasar una sola noche con ella.

Gabe pulsó el botón de enviar.

Cuando el jet aterrizó, Gabe se dejó llevar por una oleada de impaciencia impropia de él y llamó al número de Sarah que venía en el informe. Dada la diferencia horaria no sabía si estaría en casa o en el trabajo. Transcurrieron largos segundos. Convencido de que no estaba en casa, estaba a punto de colgar cuando ella contestó con voz ronca, como si la hubiera despertado.

–Hola, Sarah. Soy Gabe.

Se hizo un instante de silencio.

–¿Qué Gabe?

Sarah colgó con fuerza, el ruido fue suficientemente alto como para que él apartara el teléfono de la oreja.

Xavier le miró horrorizado.

–Acabas de llamarla. Deberías dejarme a mí lidiar con esto. Si de verdad está embarazada...

–No. Si te acercas a Sarah Duval estás despedido.

–No puedes permitirte un escándalo.

Tampoco podía permitirse perder un hijo.

Gabe volvió a llamar a Sarah. Esta vez la línea comunicaba, lo que significaba que había dejado el teléfono descolgado.

Cuando salió al caluroso sol de Zahir recordó la breve conversación, el pequeño silencio y la sequedad de su tono, como si estuviera herida. Aunque la prueba era muy exigua, de pronto estaba convencido de que Sarah estaba embarazada.

Cuando llegó al palacio confirmó el vuelo y los detalles del viaje y canceló sus compromisos para los próximos cuatro días, incluida una cena formal con su prometida y los padres de ella. Sintiéndose incómodo y nervioso, salió al balcón de su suite.

Se agarró a la balaustrada caliente por el sol y se quedó mirando el mar brillante bajo la luna.

El hecho de que Sarah hubiera intentado contactar con él y se hubiera dado contra un muro explicaba por qué no quería hablarle ahora. Se sentía abandonada. Peor todavía, Gabe se había asegurado de que no pudiera encontrarle.

Cuando Sarah conociera su situación entendería por qué había tenido que dejarla. Era una mujer educada y madura. Podían arreglarlo.

***

Sarah se quedó mirando la sombra del teléfono en la oscuridad, asombrada y furiosa. El reloj marcaba casi la medianoche. Llevaba dos horas dormida más o menos.

Debería sentirse agotada, pero en el espacio de unos segundos se había evaporado cualquier rastro de cansancio. Se sentía alerta, con la mente clara y una carga de adrenalina corriéndole por las venas.

Había descolgado el teléfono por si a Gabe se le ocurría llamar otra vez. Últimamente estaba en una montaña rusa de emociones. Se preguntó qué quería Gabe de ella. Ya no era débil ni vulnerable. Ahora había en juego mucho más que el romance y la pasión.

Unas horas más tarde sonó el timbre de la puerta, despertando a Sarah de un sueño inquieto. Se puso la bata, se pasó los dedos por el pelo y corrió hacia la puerta. El corazón se le aceleró al pensar que podía tratarse de Gabe, que había llamado porque estaba en Nueva Zelanda y quería volver a verla.

Cuando abrió la puerta fue recibida por una enorme cesta de fragantes rosas. Un mensajero le pidió que firmara la entrega.

Confusa y enfadada, Sarah garabateó su nombre. Cuando el mensajero se marchó encontró una nota en la cesta llena de rosas y cajas de carísimos bombones. Cuando la abrió se quedó mirando el nombre completo de Gabe, que era sorprendentemente largo, y un número.

Una neblina roja le oscureció la visión durante unos segundos. Cuando finalmente había superado lo suyo, Gabe le daba su número de teléfono. Sintió las piernas repentinamente débiles y se sentó. El corazón le latía con demasiada rapidez. Aspiró con fuerza el aire, miró hacia la cesta y, aplastando la pequeña llama de esperanza que había empezado a crecer en ella, decidió que era demasiado tarde para que Gabe le mandara rosas y su número de contacto.

Si le hubiera importado algo y la hubiera valorado le habría dado su número hacía mucho, o se habría presentado en la puerta. Pero ni siquiera se había molestado en saber si estaba embarazada.

Sarah se quedó muy quieta. Tal vez finalmente lo había hecho.

Eso explicaría las flores y el repentino deseo de ponerse en contacto con ella para que no le causara problemas.

Se puso de pie y sacó otra vez las flores al porche. Las donaría a la iglesia que había al final de la calle, y entregaría los bombones al asilo que había cerca del colegio. Si Gabe pensaba que podía encandilarla y comprarla para que no le causara problemas, estaba muy equivocado.

A la mañana siguiente, justo cuando acababa de vestirse para ir al colegio, llamaron a la puerta. Sarah se puso tensa. Fue a abrir y al ver a Gabe se quedó paralizada, incapaz de articular palabra.

Antes de que pudiera cerrar de un portazo, él adelantó el pie y puso una mano en la puerta para mantenerla abierta.

–Solo necesito unos minutos de tu tiempo.

Sarah hizo un esfuerzo por no dejarse hipnotizar por su mirada ámbar o su fascinante cicatriz. Se alegraba de haberse esmerado un poco con el pelo, que se había recogido en un moño sexy y mostraba las mechas color caramelo que su peluquero había insistido en hacerle. También llevaba un vestido azul turquesa que enseñaba bastante pierna y disimulaba la cintura.

–Pareces un vendedor.

–Técnicamente soy contable, no vendedor.

El hecho de que le diera aquel dato de su vida sin que le preguntara fue una sorpresa, tanto que estuvo a punto de dejarle pasar. Pero se contuvo y siguió sosteniendo la puerta con firmeza.

–¿Qué haces aquí?

Gabe la miró a los ojos y durante un instante Sarah volvió a aquella noche negra como un pozo con la lluvia golpeando en la ventana, las sábanas revueltas y el calor de su piel contra la suya...

–Tenía que verte.

Sarah estuvo a punto de creerse que realmente la había echado de menos y que necesitaba desesperadamente verla.

Gabe frunció el ceño al ver que no respondía.

–¿Recibiste mis rosas?

–Sí.

–Déjame adivinar. Las has regalado.

–No era un recordatorio feliz, teniendo en cuenta que te marchaste sin despedirte y no te has molestado en mantener el contacto conmigo.

–Pero tú sabías que tenía que irme.

Y también sabía que no se habían hecho ninguna promesa. Sarah esquivó su mirada y se concentró en un punto a la derecha de su precioso pómulo. Trató de alimentar la furia que le nacía cuando pensaba en todo el tiempo que había pasado. Pero era un hecho que la noche fue lo que fue: dos personas que se atraían y que accedieron a acostarse juntas. El único problema estaba en que ella se había implicado emocionalmente desde el principio.

–Gracias por recordármelo –Sarah consultó su reloj. Trató de aparentar que tenía prisa, aunque el trimestre escolar había terminado hacía unos días y lo único que tenía que hacer era preparar el siguiente–. Y ahora, no si no tienes nada más que decirme creo que deberías irte. Tengo que ir a trabajar –además, estaba empezando a sentir náuseas otra vez.

Gabe la clavó en el sitio con la mirada.

–¿Sigues trabajando?

Su voz sonaba extrañamente lejana, como si llegara de lejos, aunque lo que más la preocupaba era que le estaba sucediendo algo extraño a su visión. Registró vagamente que había dejado de agarrar la puerta y que Gabe se había aprovechado del hecho de que estuviera abierta. Tambaleándose ligeramente, buscó la solidez de la pared.

–¿Por qué no iba a haberlo?

–He hablado con el colegio. La recepcionista me dijo que habían empezado las vacaciones escolares.

A Sarah le molestó que hubiera estado metiendo las narices en su vida, pero al mismo tiempo le gustó que lo hubiera hecho. Gabe estaba de pronto tan cerca que podía sentir el calor de su cuerpo. Le pareció lo más natural del mundo agarrarse a su hombro para mantenerse en pie.

–Esto no significa que te haya perdonado –trató de sonar severa, pero las palabras sonaron como enmudecidas.

Gabe le pasó el brazo por la cintura. Justo cuando todo se nubló, Sarah le escuchó murmurar:

–Maldita sea, estás esperando un hijo mío.

Cuando volvió en sí estaba tumbada en el sofá del salón y Gabe estaba con ella.

Tensa y nerviosa por haber bajado todas las defensas, se colocó despacio en posición sentada. Al parecer fue una maniobra demasiado rápida, porque la cabeza empezó a darle vueltas otra vez.

Gabe le pasó un vaso de agua. Tendría que haberlo rechazado, pero tenía mucha sed. Apuró el vaso entero, lo dejó sobre la mesita y se lo quedó mirando. De pronto se alegró de haberse librado de las rosas.

–No recuerdo haberte invitado a entrar en mi casa.

–Tal vez porque estabas demasiado ocupada desmayándote –Gabe se cernió sobre ella. Los vaqueros oscuros y la camisa suelta le hacían parecer más musculoso y esbelto, mientras que ella se sentía débil y renqueante–. Encontré el número de tu médico al lado del teléfono y he pedido cita. Si salimos ahora llegaremos a tiempo.

–No necesito un médico, no me pasa nada...

–Estás embarazada.

Sarah cruzó los brazos y consiguió disimular el pequeño bulto del vientre.

–¿Qué te hace pensar eso?

Gabe se pasó los dedos por el pelo, lo que le

hizo parecer más joven, más desaliñado y mucho más mono.

–Tarik.

Sarah apretó las mandíbulas. Ese hombrecito. Aquello confirmaba que no tendría que haberse acercado nunca al consulado.

Gabe clavó la mirada en ella.

–¿Estás embarazada?

A Sarah se le sonrojaron las mejillas. No podía mentir. Por mucho que deseara ocultar la verdad y que el bebé fuera su secreto.

–Sí.

Capítulo Siete

Cuarenta minutos más tarde, Sarah estaba sentada en el despacho de Evelyn mientras Gabe permanecía en la ventana mirando hacia la calle.

Evelyn volvió a entrar y le dirigió a Gabe una mirada cargada de curiosidad. Aunque Sarah seguía molesta con el modo en que Gabe se había empeñado a ver a Evelyn, no podía evitar sentir una pizca de satisfacción por el hecho de que estuviera con ella. Al menos eso le demostraba a Evelyn que aunque Sarah hubiera tenido mala suerte en el pasado con los hombros, al menos esta vez había escogido a uno muy guapo.

Evelyn le entregó a Sarah un papel con los resultados de la prueba de orina.

–No son buenas noticias. Tienes el azúcar alto, lo que te convierte en diabética. Eso explica los mareos. Les pasa a algunas mujeres durante el embarazo.

Sarah se quedó mirando el resultado.

–También explica que tenga tanta sed.

Evelyn le dirigió a Sarah una mirada severa.

–A partir de ahora tienes que llamarme cada vez que pase algo inusual. Tienes que controlar la dieta y quiero que te hagas análisis de sangre regularmente –buscó en el escritorio y encontró una hoja con una dieta que le pasó a Gabe.

Gabe empezó a hacerle preguntas que indicaban que había estudiado un poco sobre embarazos. Cuando Evelyn hubo respondido a todas, Sarah se puso de pie, dando por terminada la reunión.

Al llegar al todoterreno de Gabe, él la ayudó a subirse. Encerrados en la intimidad del coche, la pregunta acuciante que Sarah no había tenido tiempo de preguntar salió a la luz.

–¿Por qué estás aquí?

–Sí estás esperando un hijo mío, eso cambia las cosas.

–¿Qué cosas?

Gabe frenó para detenerse frente a un semáforo.

–Estoy comprometido para casarme.

Sarah experimentó una oleada de furia. Si hubiera encontrado algo que romper en aquel momento, lo habría roto. Su reacción la molestó. Aquella criatura inestable y pasional en la que parecía estar convirtiéndose no era ella. Normalmente se mostraba calmada y contenida; se pensaba mucho las cosas. No se dejaba llevar por la rabia.

–Lo sabía. Aunque pensaba que estabas casado.

Gabe frunció el ceño.

–Yo no tengo aventuras.

–Pero engañaste a tu prometida.

–No estaba prometido en aquel entonces.

A Sarah le latió con más fuerza el corazón. Lo que Gabe había dicho tendría que haber mejorado la situación, entonces, ¿por qué le parecía que estaba peor?

–A ver si lo entiendo. Te acostaste conmigo, volviste a Zahir y te prometiste. Al menos eso explica por qué no te molestaste en llamar.

Tenía opciones más excitantes que una profesora de historia de veintiocho años.

Sarah apretó la mandíbula.

–Si te prometiste tan pronto debías conocer ya a tu prometida.

Gabe se detuvo delante de la casa de Sarah.

–No. Era un matrimonio de conveniencia.

Sarah puso cara de horror.

–Por eso te acostaste conmigo. Era tu última aventura –tiró del cinturón de seguridad para quitárselo, pero el mecanismo no cooperó.

Gabe se giró en el asiento, lo que le hizo parecer todavía más guapo.

–No fue así.

Ella se protegió contra su arrebatadora mirada de guerrero.

–¿Y cómo fue entonces?

Se hizo un vibrante silencio.

–Sabes perfectamente lo que pasó entre nosotros.

Gabe trató de ayudarla con el cinturón. Pero ella le apartó las manos muy enfadada.

–Puedo hacerlo yo. Estoy acostumbrada a hacer las cosas yo sola.

–Ya no estás sola.

Aunque Sarah no quería sentir nada por Gabe, su afirmación le provocó un peligroso atisbo de esperanza. Estaba allí debido a su embarazo y se estaba implicando.

Se le quedó mirando y sintió un torbellino emocional, todavía estaba enfadada pero también al borde de las lágrimas.

–¿Y qué es lo que pasó exactamente entre nosotros?

–Esto –Gabe le agarró la mandíbula y la atracción que había tratado de contener volvió a cobrar vida de pronto.

***

Gabe cerró la puerta de casa de Sarah y la siguió hasta el salón. El calor que le había atravesado al besarla seguía tirando de cada músculo de su tirante cuerpo. Pero, consciente de lo mal que había manejado la situación hasta el momento, controló el deseo que se había apoderado de él.

Cuando abrió las puertas del balcón para dejar entrar la brisa fresca, se fijó en que había un cuaderno en la mesita auxiliar. Lo agarró y empezó a examinar la lista de nombres que Sarah había escrito.

–Tiffany, Tanesha, Tempeste... –miró a Sarah, que estaba saliendo de la cocina con dos vasos de agua en la mano–. ¿Estos son nombres para el bebé?

Sarah dejó los vasos de agua y le quitó el cuaderno de las manos.

–Solo son ideas.

–¿Tienes ya algún favorito?

Ella cerró el cuaderno.

–Todavía me lo estoy pensando. Los nombres son importantes. No se pueden escoger a boleo.

Sarah guardó el cuaderno en el cajón de una cómoda antigua. Gabe se dirigió a las puertas del balcón que daban a un pequeño porche y se quedó mirando la vista del puerto de Wellington y las colinas. El hecho de que iba a ser padre volvió a golpearle todavía con más fuerza que cuando Sarah se desmayó. La situación era increíblemente complicada porque implicaba su compromiso con Nadia y con su país. Pero que Sarah estuviera esperando un hijo suyo lo cambiaba todo.

Necesitaba desesperadamente poner en orden sus pensamientos, pensar como el jeque de Zahir y controlar las peligrosas y posesivas emociones que le atravesaban.

Necesitaba cuidar de Sarah y del bebé, por lo tanto, la única solución posible era el matrimonio. Para poder casarse con Sarah tenía que poner fin a su actual compromiso y resolver los problemas financieros de Zahir de otro modo.

Dado que su padre se convertiría por fin en abuelo y cabría la posibilidad de que en un futuro hubiera un heredero varón, Gabe pensaba que abandonaría su idea de mantenerse en contra de la inversión extranjera.

Con la decisión tomada, Gabe se apartó de la vista. Sarah estaba ocupada ordenando revistas y recolocando cojines. Cuando se incorporó, unos mechones de pelo le caían por las sonrojadas mejillas, haciéndola parecer sexy y al mismo tiempo vulnerable. La fina tela del vestido le marcaba el abdomen, y por primera vez se percató de su embarazo. Una nueva oleada de posesión se apoderó de él y Gabe frunció el ceño. La situación financiera de Zahir, por complicada que fuera, no supondría un problema, pero si no se mantenía alerta, lo que sentía podía serlo. El matrimonio era una solución, pero no podía ser un matrimonio inestable, basado en las emociones. Como el acuerdo con Nadia Fortier, este también sería un matrimonio de conveniencia.

–Así que vas a tener una niña –dijo cauteloso.

Sarah aspiró con fuerza el aire. No estaba preparada todavía para darle a Gabe la información que quería sacarle.

–Eso es lo que dice la ecografía.

Una emoción extraña le oscureció la expresión. ¿Sería desilusión? Sarah se alzó en armas al instante en defensa de su bebé, una hija, algo que sin duda no se celebraba en el país de Gabe tanto como un hijo.

–Evelyn dijo que tienes una copia de la ecografía. Me gustaría verla.

Gabe vio el archivo de vídeo entero sin decir una palabra y luego volvió a ponerlo.

Cerró el ordenador portátil.

–El bebé cambia las cosas. Tenemos que llegar a un acuerdo.

A Sarah le latió con fuerza el corazón al escuchar sus palabras, porque en aquel momento se dio cuenta de que iba a sugerir lo que ella había deseado cuatro meses atrás: una relación.

Pero ahora ya no sabía qué pensar. Una parte de ella se estaba derritiendo por dentro, a punto de dejarse llevar por la esperanza. La otra mitad seguía muy enfadada porque Gabe la hubiera dejado sola tanto tiempo.

–¿Qué tienes pensado?

Gabe sacó una tarjeta de platino del bolsillo.

Sarah dio rienda suelta a la furia que había estado conteniendo.

–Si crees que vas a empezar a pagarme las facturas, olvídalo.

Antes de que Gabe pudiera detenerla, Sarah agarró la tarjeta, salió al porche y la tiró al sendero que había abajo.

–No quiero tu dinero, así que olvídalo. Olvídame…

–No puedo –Gabe la atrajo hacia sí con un rápido movimiento, de modo que se encontró pegada a su pecho.

Le puso la boca sobre la suya. Sarah podía bajar la cabeza o apartarse, pero su precario humor había dado otro giro, pasando de la furia directamente al deseo. No le gustaba lo que estaba pasando. No quería su dinero. Pero después del momento tan dulce y tierno vivido en el todoterreno, cada célula de su cuerpo quería volver a besarle.

Unos instantes más tarde se soltó. Sentía un hormigueo en la boca; tenía el cuerpo en llamas. Le encantaba que todavía la deseara, pero ya había pasado por eso. Y en esa ocasión se quedó embarazada. Antes de que pudiera ocurrir algo más tenía que saber si había alguna posibilidad de que ocurriera lo único que era importante para ella en una relación: el amor.

–¿Dónde estás tú exactamente en este escenario?

Sarah identificó por fin el atisbo de emoción que había leído en sus ojos cuando entró por la puerta. No era distanciamiento, sino recelo.

–Te estoy pidiendo en matrimonio.

A ella le temblaron las piernas.

–¿Y qué pasa con tu prometida?

–Primero tengo que regresar a Zahir y poner fin a mi compromiso con Nadia.

Sarah sintió un escalofrió. ¿No había sentido nada por su prometida? Al escuchar el nombre de Nadia sonaron las alarmas. Sarah volvió a entrar y se sentó. Había leído algo sobre un compromiso en la página web oficial de Zahir. De pronto cobró sentido el modo en que Tarik y la recepcionista del consulado habían tratado de proteger a Gabe.

Gabe le había dicho que era contable. Tal vez solo trabajara para el jeque como parte de su equipo financiero, pero estaba empezando a creer que era mucho más que eso.

Recordó el trozo de papel con el nombre completo de Gabe escrito en él. Lo había roto y lo había tirado antes de leerlo bien. Le pareció haber leído el apellido Kadin. El estómago le dio un vuelco cuando se le pasó por la cabeza una idea absurda.

–¿Quién eres tú?

–Mi nombre completo es jeque Kadin Gabriel ben Kadir. No soy el jeque gobernante. Ese es mi padre, pero yo reinaré algún día.

Capítulo Ocho

Gabe, el jeque Kadin Gabriel ben Kadir, insistió en llevarla a comer mientras hablaban de la situación. Demasiado asombrada por sus palabras como para negarse, Sarah se dejó ayudar para subir al resplandeciente todoterreno. Cuando Gabe salió de la entrada se fijó mejor en el vehículo, que era completamente nuevo y de lujo. Ahora, cuando ya era demasiado tarde, registró todas las claves sutiles sobre él, como el modo en que le había hablado a Tarik o el hecho de que tuviera aposentos en el consulado.

Gabe le sostuvo la mirada.

–¿Cómo te sientes?

–Me sentiré mejor cuando me expliques por qué no me dijiste quién eras.

–Por lo mismo que tú no me dijiste que eras descendiente de Camille.

Ella se sonrojó, aunque en ningún momento tuvo intención de ocultar su identidad.

–¿Cómo lo has sabido? No, espera, eres el hijo de un jeque, con guardaespaldas y rodeado de fuerzas de seguridad, apuesto a que me has investigado.

–Tuvimos relaciones sexuales sin protección…

–Así que tenías que saber con quién te habías liado exactamente –un pensamiento horrible se le cruzó por la mente–. Supongo que pensarías que yo era una especie de aventurera, tal vez incluso una periodista.

Gabe giró hacia una entrada bonita y recóndita que llevaba a un exclusivo resort privado.

–No te dije que era jeque porque pensé que solo podríamos compartir una única noche. Y sabía que tú eras exactamente lo que dijiste, una profesora de historia, pero el proceso de investigación siguió adelante debido al protocolo de seguridad.

–Y te preocupaba lo del embarazo –Gabe aparcó bajo un pórtico en sombra y un aparcacoches uniformado le abrió la puerta–. Si me hubieras dejado un teléfono de contacto podrías haberte ahorrado las molestias. Te lo habría dicho.

Se hizo un incómodo silencio cuando Sarah se bajó del coche. Gabe le dio las llaves al aparcacoches y otro empleado les guio hacia un restaurante con fabulosas vistas al mar. Cuando Gabe se sentó frente a ella, Sarah miró a su alrededor. Todos los clientes sin excepción eran guapos, bien vestidos y bronceados, le hizo percibir de pronto la brecha que existía entre su estilo de vida y el de Gabe.

–¿Ocurre algo?

Sarah frunció el ceño.

–¿Y si me entran náuseas?

Gabe la miró fijamente.

–¿Te encuentras mal?

–Un poco. Viene de repente.

El camarero que estaba entregando las cartas doradas y encuadernadas en piel palideció. Unos minutos más tarde, Gabe había cancelado la reserva y el aparcacoches había llevado el coche al pórtico. Gabe abrió la puerta del copiloto, pero en lugar de limitarse a ayudarla a subir, también le puso el cinturón de seguridad.

–Podría haberlo hecho yo sola –murmuró.

–Ya que estamos prometidos, pensé que deberíamos ir acostumbrándolos a la idea de ser una pareja.

Sarah parpadeó ante la presión para que accediera a casarse con él.

–Todavía no he dicho que sí.

Gabe le dirigió una mirada algo aliviada, como si le hubiera gustado que no accediera al instante a su proposición.

Cuando Gabe se colocó detrás del volante, Sarah le guio hacia un pequeño café al lado de la playa en Lyall Bay que era alegre y desenfadado, con suficiente ruido de fondo como para poder mantener una conversación sin que les oyeran.

Gabe se quitó la chaqueta y se aflojó la corbata. La brisa del mar le revolvió el pelo, lo que le hizo estar increíblemente guapo. Mientras comían, Gabe le hizo preguntas sobre su familia y le contó detalles de la suya. No debía haberle sorprendido que conociera a su prima, Laine, la que le había enviado a Sarah el diario y que estaba ahora casada con el jeque de Jahir, pariente lejano de Gabe. Pero el hecho de que fuera cercano a aquella rama de su familia le resultaba tranquilizador. Aunque fuera un gran salto, así le resultaba más fácil en cierto modo imaginarse casada con el próximo jeque de Zahir.

Casarse con Gabe. El corazón le latió fuera de control durante un segundo. Sus dos últimos intentos de boda habían terminado en desastre, y no podía creer que este fuera a funcionar.

Al terminar, Gabe sugirió que dieran un paseo por la playa. Cuando la tomó de la mano, Sarah sintió un peligroso escalofrío, porque aunque

Gabe no captara el gesto romántico de lo que estaba haciendo, ella sí. Y le daba miedo ser demasiado feliz. Su experiencia con la felicidad era elusiva.

–¿Seguro que quieres casarte? –aspiró con fuerza el aire y le ofreció una alternativa que le dispensara de la necesidad de una relación–. La custodia compartida es una opción.

Gabe se detuvo y la miró fijamente. Le colocó un mechón de pelo suelto detrás de la oreja.

–Los dos somos personas maduras y educadas. No hay razón para que no podamos tener un matrimonio exitoso.

Sarah frunció el ceño ante el modo en que Gabe se refería al matrimonio, como si fuera algo para lo que hubiera que estar cualificado. Cuando bajó la cabeza dejó que la besara y trató de no disfrutar demasiado de ello. Le puso las manos en el pecho a regañadientes y mantuvo la mirada fija en el pulso que le latía en la mandíbula, porque si le miraba a la boca o a los ojos volvería a besarle.

–No podemos hacer el amor hasta que... hasta que todo esté resuelto.

–Hasta que accedas a casarte conmigo.

Sarah alzó la barbilla y esta vez sí le miró a los ojos.

–Sí.

Era un hecho que no podían prometerse hasta que Gabe hubiera puesto fin a su actual compromiso. Y Sarah sabía mejor que nadie que muchas cosas podían torcerse entre un compromiso y la llegada al altar.

***

Dos semanas más tarde, Sarah se sentía un poco sola después de que Gabe hubiera regresado a Zahir, así que se dedicó a su nueva ocupación favorita: buscar noticias de Zahir y de su familia real.

Durante los dos días que habían pasado juntos habían comido fuera y habían salido a dar paseos. Gabe le había dado breves detalles sobre su vida, incluido el impactante hecho de que era viudo. Cuando se marchó, quedaron en seguir en contacto por teléfono. Sin embargo, no la había llamado en toda la semana, y el silencio después de aquellas largas y cómodas conversaciones le preocupaba a Sarah, a pesar de que había mencionado la posibilidad de que hubiera poca cobertura. Estaba empezando a tener la misma sensación que experimentó en los silenciosos y vacíos meses que siguieron a la noche que pasaron juntos.

Peor, estaba empezando a pensar que había sido demasiado optimista al confiar en que Gabe la escogería a ella antes que a Nadia Fortier. Necesitaba saber más sobre su compromiso, aunque fuera a través de los cotilleos de Internet. Y necesitaba saber más sobre la esposa que había perdido.

Su madre, que tenía la costumbre de aparecer sin avisar, cruzó por la puerta justo cuando Sarah había encontrado una página web. Hannah, que sospechaba de Gabe, se detuvo al lado de la pantalla, que en aquel momento mostraba una noticia sobre el compromiso de Gabe.

–Si fueras a tener un hijo varón ya te habría puesto un anillo en el dedo.

Sarah parpadeó al ver el chillón conjunto de su madre. Un vestido amarillo azafrán sobre mallas azules.

–¿Por qué dices eso?

Hannah rebuscó en el bolso y puso dos batidos de fruta sobre la mesa.

–Es lo lógico. Zahir es un patriarcado, solo pueden reinar los varones, en especial el primogénito. Si tu hijo fuera un varón sería el próximo jeque.

Sarah agarró su batido, le dio un sorbo y decidió contarle a su madre la verdad.

–Gabe me pidió en matrimonio. Soy yo la que todavía no ha dicho que sí.

–Creí que querías casarte con él.

–Así es –pero solo si Gabe las valoraba de verdad a ella y a su hija. Solo si cabía la posibilidad de que hubiera amor.

Hannah sacó dos sándwiches vegetales de las profundidades del bolso y los dejó sobre la mesa.

–Hace años que quieres casarte. ¿Y te lo pide el hombre más guapo del planeta y tienes dudas? –se sentó y quitó el envoltorio de plástico de uno de los sándwiches–. A veces no te entiendo.

Sarah se contuvo a duras penas.

–¿Tan malo es que no quiera cometer otro error?

Demasiado irritada para comer, buscó una web que normalmente no le interesaba porque estaba plagada de cotilleos sensacionalistas. Unos instantes más tarde encontró un artículo. Se quedó mirando una foto de Nadia Fortier con un biquini minúsculo tumbada en una playa paradisíaca con una copa de champán en la mano.

Nadia estaba acompañada de un hombre de anchos hombros y pelo oscuro que le daba la espalda a la cámara. A Sarah le dio un vuelco el corazón. Se parecía a Gabe, y el texto lo confirmaba. Al parecer, Nadia y Gabe habían hecho una escapada a solas a la Toscana antes de la boda.

Sarah se puso de pie tan rápidamente que la silla salió volando. Y ella angustiada por la esposa fallecida de Gabe, cuando era de su guapísima y joven prometida de quien debería preocuparse.

Había empezado a confiar otra vez en él. Le gustaban sus llamadas telefónicas, sobre todo cuando estaba acurrucada en la cama.

Su comportamiento durante los dos últimos días que habían estado juntos la habían llevado a pensar que sería un padre estupendo. Había visto cómo se centraba en todos los aspectos de su embarazo. Le encantaba que se preocupara por ella cuando la veía cansada.

Pero todo había sido una cortina de humo. Gabe le había mentido. No había regresado a Zahir para arreglar nada que los beneficiara a ella y al bebé. Estaba pasando el tiempo con su delgada y bella prometida en algún castillo italiano.

Sarah supo en aquel momento por qué había pasado las últimas dos semanas sintiéndose al mismo tiempo feliz y desgraciada. No solo eran las hormonas. Se había vuelto a enamorar otra vez de Gabe, el padre de su hija y un hombre que se casaría con otra en tres meses.

La cabeza le daba vueltas. No podía creer lo mucho que la había decepcionado Gabe. Aunque no era la primera vez que la decepcionaban de aquel modo.

Sarah se quedó mirando la foto borrosa, que sin duda había sido tomada con teleobjetivo, y cerró la página. Atrapada entre la rabia y la tristeza, se dirigió al porche sin fijarse apenas en la gris humedad del día, que era muy distinta al calor y el cielo azul de la Toscana. Una repentina ráfaga de viento frío le pegó el vestido contra el cuerpo y le alborotó el pelo. Así acababa su improbable sueño de mudarse a Zahir, de que Gabe se enamorara de verdad de ella tras pasar tiempo juntos.

Tratando de mantener la calma, volvió a entrar al salón, que estaba lleno de cosas para el bebé. Agarró una osito rosa que Gabe había enviado, era tan grande que ocupaba su propia silla. Llena de furia, se llevó el osito a la habitación de al lado y lo metió en el armario para no verlo.

Cerró la puerta de golpe y se apoyó.

Hannah, que estaba preparando el té en la cocina, asomó la cabeza con gesto preocupado.

–¿Te encuentras bien?

–Sí. Tú come. Enseguida salgo. Te lo prometo.

Tal vez la foto y el artículo no retrataban la verdad auténtica. Tenía que dejar de reaccionar de manera emocional y empezar a lidiar con los hechos. Y el único modo de hacerlo era ir a Zahir.

Volvió al ordenador, entró en una página de viajes y buscó tarifas. Cuando hizo las reservas se sintió temblorosa pero satisfecha de haber actuado. Había perdido dos maridos porque no había sido lo suficientemente activa para reclamar a su hombre. Pero esta vez era distinto. Estaban en juego su corazón y la futura felicidad de su hija.

Se acabó lo de quedarse sentada en silencio en casa. En cuestión de dos días dejaría de ser el secreto del jeque Kadin Gabriel ben Kadir.

Capítulo Nueve

Gabe entró en el despacho de Gerald Fortier en París flanqueado por Xavier y Hasim diez minutos antes de medianoche. Todos llevaban el atuendo formal de Zahir: trajes, camisas blancas con corbatas y las *kufiyyas* blancas. La de Gabe se diferenciaba por estar sujeta con una cuerda con el escudo de la familia, un león rugiente.

Había solicitado aquella reunión diez días atrás, tras recibir información de que Nadia no estaba con su tía en el sur de Francia, como aseguraba su familia, sino que se encontraba con un conde italiano en la Toscana. Fortier, consciente de que Gabe declararía el contrato prematrimonial nulo y sin base, había retrasado la reunión hasta ahora.

Gabe le mostró su identificación al portero. Unos segundos más tarde entraron en el ascensor que llevaba al a suite del ático. Cuando salieron, Fortier estaba al lado del enorme ventanal mirando hacia la espectacular vista de París de noche con la iluminada torre Eiffel.

Fortier se giró para mirar a Gabe. Como de costumbre, el hombre tenía una expresión suave y urbanita, aunque cuando se fijó en los tocados, se le oscureció la mirada. Consultó el reloj como si tuviera prisa por irse.

–Tenéis suerte de haberme pillado. Tengo que subirme a un avión.

–¿A la Toscana?

Fortier palideció cuando les indicó que podían sentarse en los confortables sillones de cuero que había alrededor de una mesita.

Gabe ignoró la oferta para sentarse. Sacó una fotocopia del periódico francés en el que Fortier aseguraba que Gabe estaba de vacaciones en la Toscana con su hija.

–Sabes muy bien que estos últimos días he estado en Nueva York y en los Emiratos Árabes Unidos.

Fortier dejó el periódico en la mesita auxiliar.

–Era una solución. Control de daños.

–Solo si yo todavía quisiera casarme con tu hija.

Fortier aspiró el aire por la nariz.

–No hay razón para no seguir adelante con nuestro acuerdo, sobre todo porque ya se ha hecho un sustancial pago. El trato está sellado.

–Ya no.

Fortier siguió hablando como si Gabe no hubiera intervenido.

–Por supuesto, puedo compensarte por cierta... brecha en las condiciones.

La brecha era que Nadia ya no era virgen, y según el informe que Gabe había recibido, llevaba bastante tiempo sin serlo. Gabe también había descubierto que Gerald Fortier era muy consciente del hecho cuando firmó el acuerdo matrimonial.

Hasta que Gabe pasó aquella única noche con Sarah no se había dado cuenta de lo importante que era la integridad en sus relaciones.

–Me temo que esa parte del acuerdo no es negociable –murmuró.

Se hizo un breve y tenso silencio. Fortier miró a

Xavier y a Hasim, que flanqueaban a Gabe de un modo inconfundiblemente militar. Fortier se aflojó la corbata.

–En ese caso requeriré el inmediato y completo reembolso de los fondos que recibiste.

Gabe mantuvo una expresión neutral. Con el pequeño cambio constitucional que había hecho el padre de Gabe, devolverle el dinero a Fortier no supondría un problema.

–Tendrás el dinero en cuanto se apruebe la operación que he acordado con un banco de Nueva york. A cambio me aseguraré de que la prensa no se entere de que Nadia tiene una aventura.

Fortier pasó de estar blanco como la cera a sonrojarse.

–Gracias.

La momentánea pérdida de control le hizo saber a Gabe que, a pesar de todos sus defectos, a Fortier le importaba la reputación de su hija.

Gabe se dio la vuelta y se dirigió al ascensor. En menos de una hora estaba otra vez subido al jet que había alquilado. El compromiso era ahora nulo, pero no podía permitirse celebrarlo todavía.

Su madre estaba encantada de que Gabe fuera a casarse con una joven de Nueva Zelanda y de que hubiera una nieta ya en camino. Pero contarle la noticia a la población de Zahir iba a ser un asunto más delicado.

Los preparativos de la boda estaban casi terminados. Se habían enviado las invitaciones y estaban reservados los hoteles. El asunto de la cancelación tendría que ser manejado por los expertos en relaciones públicas. Pero Gabe estaba convencido de que cuando el ministro de turismo supiera que Sarah era descendiente de Camille de Vallois suministraría la información de un modo que la aprobación pública suavizara el hecho de que hubiera cambiado de novia.

Sonriendo al pensar que por fin había una aplicación práctica para la romántica historia de Kadin y Camille, se dejó caer en el asiento de cuero. Sacó el móvil, buscó la lista de llamadas perdidas de Sarah y trató de llamarla antes de que el jet aterrizara. No había podido hacerlo en el remoto país de Buraimi.

Cuando la llamada fue al buzón de voz y Sarah no contestó al teléfono, Gabe comprobó los mensajes. Había dos de Sarah. Escuchó el frío registro de su tono pidiéndole que se pusiera en contacto con ella. El último mensaje era de hacía cuatro días.

Trató de volver a comunicarse con ella. Al ver que no había respuesta, apagó el móvil. Si hubiera algún problema con el embarazo, Sarah se lo habría dicho en alguno de los dos mensajes que había dejado y que él no había podido escuchar porque en Buraimi no había cobertura.

Xavier, que había estado hablando con el piloto, tomó asiento a su lado.

–¿Algún problema?

–Nada que no pueda solucionar.

Llevaba dos semanas lejos de Sarah. Dos largas semanas. Y la echaba mucho de menos. Estaba deseando volver a tenerla entre sus brazos.

Zahir brillaba bajo el abrasador sol de mediodía cuando Sarah pagó al botones que le había llevado las bolsas y luego entró en la fresca y espaciosa suite de hotel que había reservado para los próximos diez días.

Tras ponerse un vestido de algodón blanco, agarró la cámara y un cuaderno y tomó el ascensor hasta el piso de abajo. Evelyn le había dado a regañadientes permiso para viajar tras ver que sus análisis de sangre habían mejorado mucho. Ahora que Sarah había moderado la dieta, los mareos habían remitido y se sentía con mucha más energía.

Salió a las estrechas calles de Zahir y disfrutó del calor y de las construcciones blancas que rodeaban la mayor parte de la bahía. Zahir acogía también un grupo de bellos resorts, todos del jeque. Se habían construido para fundirse con la antigua e histórica ciudad y parecían más palacios antiguos que hoteles.

Sarah hizo varias fotos y luego se dirigió hacia la calle principal, que recorría la orilla y era famosa por sus cafés. Mientras paseaba, frunció el ceño al ver un cartel en zahirí y en inglés en el que se felicitaba al jeque Kadin por su próximo matrimonio. En las calles había adornos festivos y luces y se habían colocado enormes macetas con flores.

A Sarah se le cayó el alma a los pies. Si quería una confirmación de que la boda no se había cancelado, ahí la tenía.

Sintiéndose desinflada, se detuvo para comprar una bebida fría en un concurrido café. La guapa camarera inglesa era alegre y charlatana, y se mostró encantada de responder las preguntas que Sarah le hizo. Dejó la bebida fría frente a Sarah.

–Casi nadie ha visto a Nadia. Creo que su familia la mantiene oculta hasta que llegue el día, ¿sabes? Aunque si entras en Internet encontrarás algunas fotos. Es joven y guapísima. Al parecer solía salir mucho hasta que se formalizó el compromiso. Pero luego nada.

Sarah le dio un sorbo a su bebida, que era una deliciosa mezcla de ciruelas y limón con hielo.

–Supongo que Gabe... el jeque, puede ser muy controlador.

La camarera la miró de reojo.

–Me refería al padre de Nadia. Kadin es otra historia, es un amor. Muchas mujeres han intentado atraparlo, pero desde que perdió a su esposa no ha mostrado interés –se encogió de hombros con mirada soñadora–. Supongo que debió quererla mucho. Dicen que por eso ha accedido a un matrimonio de conveniencia a estas alturas. No puede tener a Jasmine, pero necesita un heredero. Ah, y por supuesto, los Fortier son ricos. Supongo que eso ayuda.

Sarah dejó el vaso y de pronto perdió cualquier deseo de beber o de continuar con la conversación. El sueño de poder tener un matrimonio, tal vez incluso un amor verdadero con Gabe, se estaba desvaneciendo rápidamente. ¡Creía que Nadia Fortier era el único problema, pero según la camarera, él seguía enamorado de su primera esposa!

Cansado y de mal humor tras el vuelo nocturno desde París, Gabe avanzó por la concurrida calle principal de Zahir. Se puso todavía de peor humor al ver los lazos y los anuncios de colores y los mensajes de felicitación que aparecían a pesar de que faltaban varias semanas para la fecha de la boda. El móvil le vibró. Aceptó la llamada mientras esperaba en un semáforo.

Xavier, a quien su mujer había recibido en el aeropuerto cuando aterrizaron, parecía cansado.

–Un periódico italiano ha publicado que se supone que estás en un castillo de la Toscana con Nadia. ¿Qué quieres que haga?

–Lo que siempre hacemos, nada –con un poco de suerte, el hecho de que hubiera estado dos días en Nueva York y la semana anterior en Dubái desacreditaría el rumor–. ¿Has conseguido contactar con Sarah?

–No, sigue sin contestar al teléfono. Tarik se pasó por allí. No estaba en casa.

La sensación de incomodidad que se había apoderado de él cuando no fue capaz de contactar con Sarah antes del vuelo de París volvió con plena fuerza. Se puso tenso al pensar que podría haber sufrido otro desmayo.

De pronto, la distancia entre ellos se había convertido en una barrera que no estaba dispuesto a seguir tolerando. En cuanto localizara a Sarah lo arreglaría todo para que volara a Zahir.

Se le pasó una idea por la cabeza. Sarah le había dicho que el hombre con el que había quedado la noche que Gabe y ella se encontraron en el consulado había entrado en su casa sin permiso. Era posible que hubiera regresado a molestarla.

–Vigila a Graham. Otra cosa, pídele a Tarik que compruebe si Sarah ha salido del país.

Gabe colgó cuando el semáforo se puso en verde. Avanzó por el lento tráfico con el ceño fruncido. No entendía por qué Sarah no respondía a sus llamadas. Normalmente le gustaba hablar largo y tendido por teléfono con él. El hecho de que hubiera cortado toda comunicación significaba que había ocurrido algo. Apretó con fuerza el volante. Era posible que se hubiera enterado del escándalo que rodeaba a Nadia.

Había cometido un error al dejar a Sarah sola tanto tiempo. Ahora que había ultimado el acuerdo con Fortier, iba a insistir en que Sarah y él se prometieran rápidamente.

Casi había llegado al palacio cuando Xavier llamó para decirle que Sarah había salido de Nueva Zelanda rumbo a Zahir aquella mañana.

Gabe experimentó una profunda sensación de satisfacción. Sarah no había huido de él, estaba allí, en su isla. Y solo podía haber una razón: había ido a buscarle.

Ella le amaba, de pronto lo tuvo claro. Nada más podía explicar por qué le había dejado hacerle el amor en primera instancia y por qué estaba dispuesta a volver a aceptarlo.

–Resulta que Graham está también en Zahir –continuó Xavier–. Pero no se alojan en el mismo hotel y no han viajado juntos.

Gabe frunció el ceño al pensar en Graham y dio un giro completo para dirigirse otra vez al hotel. Frenó para dejar pasar a un grupo de peatones que se dirigían hacia el zoco. Una mujer vestida de blanco con cabello oscuro recogido en un moño sexy le llamó la atención. No pudo verle la cara, pero había algo en su femenina forma de caminar que le devolvió a una tormentosa noche en Wellington.

El tráfico se movía a paso de tortuga cuando la mujer de blanco se detuvo en la entrada del zoco.

Se subió la correa del bolso y consultó su reloj. A Gabe le dio un vuelco el corazón dentro del pecho. Reconocería aquella elegante forma de los pómulos, los ojos rasgados y aquella delicada nariz imperial en cualquier parte. Era Sarah.

No había lugar para aparcar en la congestionada calle, así que esperó un poco entre el tráfico y luego tomó un camino estrecho que recorría un lateral del zoco. No había aparcamiento, pero encontró un espacio en la parte de atrás del puesto del vendedor de diamantes y aparcó.

Cuando cerró el coche, el guardia de seguridad del vendedor, un hombre alto y fuerte vestido de traje, salió a la parte de atrás. Su expresión adusta cambió cuando vio al Gabe, y le aseguró al instante que podía dejar el coche allí el tiempo que quisiera.

Gabe salió a la abarrotada calle y atisbó a ver un brillo blanco en medio de un mar de rojos, azules, naranjas y rosas. Pasó por delante de los puestos de los ávidos vendedores hasta llegar a la tienda de sedas en la que Sarah acababa de entrar.

Había un grupo de turistas japoneses alrededor del mostrador. Sarah se había dado media vuelta al entrar en la tienda y tenía una muestra de seda roja pegada el cuerpo. Gabe se quedó hipnotizado durante una décima de segundo. La sensual riqueza de la tela hacía que le brillara la piel y sus ojos parecían más oscuros y más exóticos.

Sarah miró en su dirección y le vio.

–Tú.

Se sintió invadido de una profunda satisfacción masculina. Si Sarah se hubiera mostrado indiferente se habría preocupado, pero no era así. Estaba furiosa. Y si había leído el artículo inventado por la prensa que aseguraba que estaba en Italia con Nadia, resultaba comprensible.

En el calor de aquella mirada, Gabe se encontró extrañamente en casa, como si acabaran de retomar una conversación no acabada. En aquel momento se dio cuenta de lo mucho que había echado de menos las largas llamadas telefónicas y la eléctrica conexión que parecía vibrar entre ellos. Extrañamente, poner distancia entre ellos no había hecho nada para paliar lo que sentía por ella.

–Sarah. Qué sorpresa encontrarte en Zahir.

Capítulo Diez

Asombrada al verle con el tradicional tocado de cabeza, lo que había impedido que le reconociera al principio, Sarah dejó la tela roja en la cesta. Su tono grave de voz la atravesó, pero se negó a dejarse seducir por él. Ya había pasado por ahí, pensó molesta. Y no quería repetirlo.

Esbozó una fría sonrisa.

–No me hubiera perdonado perderme tu boda.

En la penumbra de la tienda, vestido con traje oscuro y la *kufiyya* y barba incipiente, como si no hubiera tenido tiempo de afeitarse, tenía un aspecto exótico y todavía más peligroso de lo que Sarah recordaba.

La rabia que sentía porque Gabe no hubiera cancelado la boda y se hubiera pasado las dos últimas semanas en Italia con Nadia se calmó un poco al darse cuenta de lo fuera de lugar que parecía Gabe en aquella tienda de sedas. Aquello solo podía significar que la había seguido hasta la tienda. La idea le provocó una llamarada de placer que no podía alimentar, dado que Gabe las había traicionado a ella y a su hija.

Sarah alzó la barbilla y decidió que no tenía nada que perder hablando claro.

–¿Dónde está Nadia?

Un silencio mortal cayó sobre la tienda.

Gabe miró hacia las mujeres que había en la tienda.

–Tenemos que hablar… en otro sitio.

Sarah se dio cuenta de que parecía haber muchas mujeres con los móviles en la mano. Móviles que podían hacer fotos o incluso grabar vídeos de la conversación.

Al ver que Sarah no obedecía al instante su orden, Gabe le dirigió una mirada irritada que la hizo sentir como si fuera ella la que le había traicionado. Una décima de segundo más tarde se encontró fuera, bajo el ardiente sol.

Gabe la guio a través de los puestos hacia un callejón en sombra situado entre dos tiendas.

–No he estado con Nadia. He estado en los Emiratos negociando un contrato de construcción la mayor parte de la semana pasada. Es difícil encontrar cobertura allí. ¿Responde eso a tu pregunta?

Sarah se detuvo en seco, deteniéndolos a ambos, y trató de no fijarse en el modo en que la *kufiyya* le enmarcaba los masculinos rasgos. Gabe estaba increíblemente guapo.

–Entonces, ¿no eras tú el del castillo de la Toscana?

Gabe dijo algo entre dientes. A Sarah le pareció que soltaba una palabrota.

–Nunca he estado en la Toscana, así que no, no era yo.

No había estado con Nadia. Sarah experimentó una oleada de alivio que casi la llevó a marearse. Para su rabia, los ojos se le llenaron de lágrimas de emoción.

Parpadeó furiosamente y buscó un pañuelo de papel en el bolso.

–¿Quién era entonces?

–Raoul Fabrizio. Un conde italiano –Gabe se

agachó un poco y la miró a los ojos–. Maldita sea, ¿estás llorando?

Mientras Sarah se secaba los ojos y se sonaba la nariz, se vio de pronto entre sus brazos. El sonido de su voz y el firme latido de su corazón le resultaron extrañamente reconfortantes. Aspiró el aire y el aroma a limpio de su piel se unió al irresistible olor a sándalo que tanto había tratado de olvidar. Tras días de estrés y furia le resultaba duro acostumbrarse al hecho de que no era el villano que había creado en su mente.

Volvió a sonarse.

–Yo nunca lloro. Debe ser el embarazo.

Buscó un segundo pañuelo de papel, pero Gabe le ofreció uno de tela bordada.

–¿Cómo estás? ¿Has ganado peso?

Sarah se quedó mirando el pañuelo, demasiado bonito para utilizarlo, y trató de no dejarse seducir por el tono aterciopelado de su voz. Miró fijamente a Gabe.

–¿De verdad te importa?

Un par de turistas que se dirigían a la playa con las toallas al hombro se los quedaron mirando con curiosidad.

Gabe frunció el ceño.

–No podemos hablar aquí. Si vienes conmigo, conozco un lugar donde podemos hablar a solas.

Sara consultó su reloj y fingió que tenía planes.

–¿Cuánto tiempo tardarás?

–¿Tienes otros compromisos?

Sarah sintió una punzada de dolor y de rabia al notar la incredulidad en el tono de Gabe, como si las profesoras de historia abandonadas y embarazadas no tuvieran compromisos.

–No he venido a Zahir de vacaciones. Ahora que tengo una hija que mantener voy a empezar una carrera como escritora de viajes.

Gabe frunció el ceño.

–No necesitas trabajar. Yo os mantendré a la niña y a ti.

Ella se zafó de su brazo y le miró echando chispas por los ojos.

–No dependeré de ti.

–No te he pedido que lo hagas.

El tono calmado de su voz disimulaba la rabia que trataba constantemente de salir y la dejaba vulnerable e insegura. Sarah decidió que prefería la rabia.

Gabe indicó que deberían seguir a la pareja de las toallas. Consciente de que iba detrás de ella, Sarah se encontró unos pasos más adelante en un camino de servicio con furgonetas a los lados. Las luces de un sedán negro con cristales tintados se encendieron cuando Gabe abrió el vehículo. Sarah se detuvo sobre sus pasos.

–Dijiste que íbamos a hablar en privado, no que ibas a subirme a un coche para llevarme a alguna parte.

–No es algo tan siniestro –afirmó él abriéndole la puerta del copiloto–. Lo único que quiero es encontrar algún sitio donde podamos hablar sin que nos oigan. Tengo una casa en la playa a cinco minutos de aquí. Si no quieres ir podemos acercarnos a tu hotel.

Sarah abrió los ojos de par en par.

–¿Sabes dónde me alojo?

–Zahir no es un país precisamente grande...

–Así que me han estado siguiendo.

–No hizo falta tanto. Xavier llamó al aeropuerto.

Sarah se abrochó el cinturón de seguridad al mismo tiempo que Gabe se quitaba la *kufiyya* y la dejaba en el asiento de atrás.

–Tu familia no sabe que existo.

–Por supuesto que sí. Y también saben lo del bebé.

Aliviada al saber que Gabe les había hablado a sus padres de ella, Sarah se relajó en el asiento. Pero volvió a ponerse tensa cuando le sonó el teléfono. Consciente de que Gabe escucharía todo lo que dijera, aceptó la llamada de su madre.

Fue una conversación breve. Hannah quería saber cómo estaba Sarah y si se había registrado en el hotel. También quería contarle que se había enterado por un amigo común de que Graham estaba en Zahir.

Sarah frunció el ceño al escuchar ese nombre. Seguramente seguía a la caza de la dote perdida. Tras su último encuentro, cuando él se coló en su casa, no tenía ningún interés en volver a verlo.

Gabe tomó un desvío bajo la sombra de unos olivos y detuvo el coche frente a una villa construida sobre un pequeño risco que daba a una bahía.

–¿Era Graham?

Sarah agarró el picaporte de la puerta. Sería más fácil decir que era su madre, pero todavía se sentía confusa y herida.

–No creo que sea asunto tuyo.

Gabe cerró la puerta, dejándola atrapada.

–No quiero que veas a Graham.

Durante un instante, Sarah estuvo tan cerca que pudo verle las tenues ojeras, como si no hubiera dormido mucho.

–No querría ver a Graham Southwell ni aunque fuera el último hombre sobre la Tierra.

Gabe soltó la puerta.

–Entonces, ¿con quién hablabas?

Sarah quería mantenerse firme en su idea de no hablarle a Gabe de su vida personal y dejar que sintiera algo de incertidumbre. Pero le resultaba difícil pensar con claridad con Gabe tan cerca que podía sentir el calor de su cuerpo y aspirar su aroma limpio y masculino. Desgraciadamente, también la seducía la idea de que Gabe estuviera celoso. Eso significaba que sentía algo por ella.

–Era mi madre.

Gabe deslizó la mirada hacia su boca, lo que le provocó un escalofrío.

–Lo siento –dijo con sequedad–. Pero estaba preocupado por ti. Graham está también en Zahir.

–Graham viene mucho. Es importador, pero además está obsesionado con encontrar la dote de Camille. ¿Ha hecho Xavier una llamada para saber dónde está Graham?

Gabe entornó la mirada para indicarle que estaba jugando con fuego, pero a ella no le importó. Por mucho que le preocupara lo que pudiera sentir por ella, estaba enamorada de él. Era el padre de su hija y había estado dos semanas sin verlo. Y le había echado de menos. Creía que tenía derecho a saber la verdad.

–Para ser exactos, Xavier le pidió a una agencia de detectives que investigara los movimientos de Southwell.

Pero Gabe había pagado el informe. Sarah contuvo el deseo de sonreír.

–¿No es eso un poco paranoico?

–Para mí no. Necesitaba saber que no se acercaría a ti.

Estaba celoso.

Sarah se sintió de pronto encantada de que Gabe no solo no se hubiera acostado con Nadia, sino de que durante su ausencia se hubiera preocupado por ella. Abrió la puerta del todo y salió a la entrada de inmaculadas piedrecitas blancas.

Gabe señaló con la mano un camino que llevaba a un patio en sombra con vistas al mar. Abrió unas puertas que daban al balcón. Sarah entró en un salón sombreado por las persianas bajadas. Los suelos de cerámica estaban cubiertos de brillantes alfombras de Zahir y había sillones bajos y cómodos para disfrutar al máximo de la impresionante vista.

Gabe cruzó una elegante cocina que se abría al salón.

–¿Quieres beber algo?

–Agua estaría bien.

Gabe le indicó que se sentara. Al hacerlo, se vio frente al óleo de una mujer sentada en un jardín y vestida con un traje rojo.

–Camille –Gabe le dio a Sarah el vaso de agua con hielo y se dirigió a las puertas abiertas para contemplar la vista.

Sarah le dio un sorbo al vaso. Incapaz de soportar el silencio, preguntó:

–¿De qué querías hablar conmigo?

Gabe se giró.

–De nosotros. Desde anoche ya no estoy obligado a casarme con Nadia. Te propongo que nos casemos el mes que viene.

Capítulo Once

Sarah creyó haber oído mal. Dejó el vaso sobre la preciosa mesa antigua de ébano.

–¿Hablas en serio? ¿De verdad quieres casarte conmigo?

No le había dicho que la amaba, y seguramente no la amaba todavía. Se le cayó el alma a los pies al darse cuenta de que apenas había mencionado nunca a su primera mujer.

La realidad era que por el momento el embarazo dictaba los pasos, pero Sarah esperaba algo más, un atisbo del calor y del amor que podrían compartir cuando estuvieran casados.

A pesar de sus esfuerzos por permanecer tan recelosa como él, tenía el corazón henchido de emoción. El problema era que le amaba y quería casarse con él... aunque Gabe no sintiera lo mismo que ella en aquel momento.

–¿El mes que viene?

Gabe dijo una fecha y a Sarah le dio un vuelco al corazón. Conocía aquella fecha. La tenía grabada a fuego en el corazón. A pesar de sus esfuerzos por mantener la calma, se puso de pie.

–Supongo que te refieres a la misma fecha en la que tenías pensado casarte con Nadia, ¿verdad?

–Sí.

La cauta alegría de saber que todavía quería casarse con ella fue sustituida por el enojo.

–A ver si lo adivino. El lugar del banquete está

reservado, los invitados ya están avisados y no hay boda sin novia, ¿no es así?

–Sé que no es lo ideal, pero es un hecho que tenemos que casarnos pronto y la boda, que es importante para Zahir, ya está organizada.

–Entiendo las cuestiones prácticas –pero resultaba difícil sentirse especial y querida cuando la proposición sonaba tan forzada como el último compromiso de Gabe, y cuando le estaban ofreciendo una boda de segunda mano.

Sarah se acercó al retrato de Camille. Sintió un ligero escalofrío al sentir a Gabe detrás de ella. Decidida a controlar la respuesta de su cuerpo, se centró en el cuadro.

–Tenía estilo.

–Era una mujer que sabía lo que quería.

Sarah no pudo evitar preguntarse si sería así como Gabe la veía a ella.

–¿Hay algo malo en saber lo que quieres?

–No, siempre y cuando eso significa que te casarás conmigo.

Sarah se dio la vuelta. Ella quería casarse, pero solo porque pensaba que Gabe terminaría enamorándose de ella con el tiempo.

–¿Tú quieres casarte conmigo?

Gabe compuso una expresión en guardia y Sarah se preguntó si habría dicho algo malo. Entonces él la abrazó por los antebrazos de modo seductor.

–Estamos bien juntos. Nos gustamos. Vamos a tener una hija.

–¿Y qué pasa con el dinero?

–El dinero ya no es problema para Zahir –Gabe la atrajo hacia sí–. Te deseo, Sarah, y creo que lo sabes. He pasado semanas haciendo y deshaciendo tratos para poder tenerte. ¿Te casarás conmigo?

El tiempo pareció detenerse. Sarah quería cambiar de vida, asumir riesgos, y lo había hecho. Ahora no podía volver de ninguna manera a su antigua rutina. Aquella versión de la vida podría resultar dolorosa, pero al menos sabía que estaba viva.

Por encima de todo, tenía que pensar en el bebé. Si había una posibilidad de que fueran una familia de verdad, debía aprovecharla.

–Sí.

Los ojos de Gabe mostraron alivio. Se inclinó y le rozó la boca con la suya.

El beso, lento y delicado, le provocó una llamarada. Antes de que pudiera contenerse, le echó los brazos al cuello y se alzó para besarle con más pasión. Aquello era lo que quería, lo que había buscado aunque tratara de mostrarse cauta.

Los brazos de Gabe la rodearon y la apretó todavía más contra sí. Sarah sintió un gran alivio al notar la firme presencia de su erección contra la cadera. Su fuerte y masculina respuesta resultaba tranquilizadora para ella.

Cuando Gabe alzó la cabeza, Sarah le agarró con más fuerza y provocó otro beso largo. Entonces él le quitó las horquillas del pelo para que le cayera en cascada por los hombros.

Gabe la atravesó con una mirada ardiente.

–¿Estás bien para hacer el amor?

–Estoy perfectamente. Nunca he estado mejor.

Gabe volvió a besarla. Iban a hacer el amor. Aquella realidad, cuando una hora antes estaba desesperada, resultaba chocante.

Sarah empezó a deshacerle el nudo de la corbata con dedos ligeramente temblorosos y luego siguió con los botones de la camisa. Destellos de la última vez que hicieron el amor provocaron que el corazón le latiera de un modo descontrolado. Había muchas cosas de su relación que debían trabajar, pero no podía evitar pensar que aquella parte era absolutamente perfecta.

Unos minutos más tarde, con el vestido de Sarah hecho un ovillo en el suelo, Gabe la tumbó sobre el sofá de cuero. Él ya se había quitado la chaqueta y la camisa y ahora se sacó los pantalones. Cuando dejó los bóxer en el suelo, Sarah disfrutó de la visión de su desnudez. Cuando lo vio de noche en su dormitorio le pareció hermoso. Ahora, a plena luz del día, con el ardiente sol de Zahir mostrándolo bronceado y musculoso, resultaba impresionante.

Se unió a ella en el sofá y se puso encima de ella. Sarah se movió al instante para acomodarlo. Con la mirada clavada en la suya, una débil tensión se apoderó de Sarah al sentirlo alojado contra ella.

Ahora que el matrimonio y el bebé formaban parte de la ecuación, le preocupaba decepcionarle de alguna manera. Después de todo, no era una mujer de mundo como Nadia ni una belleza frágil como su primera esposa.

Una décima de segundo más tarde la preocupación dejó de ser importante cuando contuvo el aliento en el exquisito momento de su unión. Gabe la besó y la estrechó con más fuerza entre sus brazos, como si la necesitara, como si de verdad significara algo para él mientras se movían al unísono y la tarde se disolvía en un centelleo de calor.

***

Mucho más tarde, cuando se hubieron duchado y vestido, Gabe marcó un número en el móvil.

–Hasim se encargará del cambio de invitaciones. Mientras tanto necesito que te quedes en tu hotel y mantengas nuestro compromiso en secreto hasta que palacio envíe una nota de prensa.

Sarah, que todavía estaba disfrutando de las secuelas del acto amoroso, se quedó un poco helada ante el repentino giro hacia los asuntos prácticos. Agarró el bolso y se lo colgó al hombro.

–¿Quedarme en el hotel para pasar desapercibida?

Gabe le clavó la mirada en la boca. Así que no todo eran cuestiones prácticas, pensó aliviada.

–Sería conveniente. Cuando la prensa se entere de esto se volverán todos locos...

A quien estuviera llamando Gabe, contestó el teléfono. Él se dio media vuelta y empezó a hablar en zahirí muy deprisa. Unos minutos más tarde, colgó y se guardó el teléfono en el bolsillo de la camisa.

–Era Faruq, el ministro de turismo. Él se ocupará de la nota de prensa. Cuando se haya hecho el anuncio podremos trasladarte a palacio.

Gabe llevó a Sarah de regreso al hotel. Desconcertada y un poco adormilada tras las horas que habían pasado haciendo el amor, Sarah entró en la sombra del pórtico del hotel. La repentina aparición de Graham, que estaba sentado en la mesa de un café, la pilló completamente desprevenida.

Le miró con suma frialdad.

–¿Qué quieres?

–¿Tengo que querer algo?

Graham abrió los brazos como si fuera a abrazarla. Sarah dio un paso atrás para evitar aquella falsa intimidad.

–Según mi experiencia, sí. Aunque creo que ya tienes lo que querías.

Sin inmutarse, Graham se dispuso a caminar a su lado mientras ella cruzaba el precioso vestíbulo con suelo de mosaico.

–Casi. Creo que por fin tengo una buena pista. Necesito que descifres la pieza del diario que sigue escrita en francés antiguo…

–No –Sarah entró en el ascensor. Cuando las puertas se cerraron, Graham tenía una expresión beligerante.

Las puertas del ascensor se abrieron en su planta y Sarah se encontró mirando fijamente a una pareja que parecían recién casados.

Cuando entró en su suite consultó el reloj, sorprendida al ver el poco tiempo que había transcurrido. Poco más de tres horas desde que salió. Y en aquel tiempo Gabe la había encontrado y le había demostrado que la atracción que sentían el uno por el otro seguía muy viva. Habían hecho el amor y habían confirmado su compromiso.

Con el pulso acelerado al recordar el acto amoroso, Sarah se miró en el reflejo del espejo que había al lado de la puerta. Se tocó la marca roja que tenía a un lado del cuello. Recordó cómo la barba incipiente de Gabe le había rozado la suave piel, la sensación que se apoderó de ella ante la sensual caricia, como si Gabe no tuviera nunca bastante de ella.

Aspiró con fuerza el aire al darse cuenta de lo mucho que había cambiado.

Ya no era la seca profesora de historia que se quedaba en casa todas las noches. Era una mujer arriesgada que había conquistado a un jeque y de quien, tras una salvaje noche de pasión, estaba esperando un hijo.

Gabe le había hecho el amor como si fuera deseable, como si no pudiera resistirse a ella. Como si le perteneciera.

Igual que ella sabía que Gabe era suyo.

Un poco sobresaltada por aquel pensamiento tan audaz, Sarah dejó la bolsa y se dirigió a la nevera para servirse un vaso de agua, se lo llevó al salón, se sentó en el sofá y encendió la tableta. Tras la conversación que había mantenido con la camarera del café, sentía curiosidad por el primer matrimonio de Gabe.

Encontró un viejo periódico que parecía confirmar todo lo que había oído. Gabe y Jasmine eran novios desde niños y se habían casado jóvenes. Ella murió trágicamente en un accidente de barco.

Otra búsqueda le produjo una serie de fotografías de Jasmine, frágil e increíblemente bella, con un enorme solitario de diamante brillándole en el dedo.

Un anillo. Aquel era un pequeño detalle del que Sarah y Gabe no habían hablado todavía.

Sonó el teléfono. Cuando escuchó la voz de Graham, Sarah colgó con fuerza y luego descolgó el teléfono. También apagó el móvil para asegurarse y volvió a la tableta.

Un par de horas más tarde alguien la despertó

de la siesta llamando a la puerta con los nudillos. Sarah miró por la mirilla por si acaso se trataba de Graham. Era Gabe.

Abrió la puerta, algo molesta por el silencio de Gabe respecto a su primera mujer. Gabe se había duchado y estaba guapísimo vestido con unos pantalones oscuros y camisa de tela fina.

–No esperaba verte tan pronto.

Él entornó los ojos al captar la frialdad de su tono.

–Intenté llamarte pero tienes el móvil apagado y el teléfono del hotel no para de comunicar. Ha habido un cambio de planes. Te he conseguido una casa, originalmente era una fortaleza, así que es más segura que el hotel. Si recoges tus cosas te llevaré ahora mismo. Luego podríamos salir a cenar.

Sin poder contenerse, Sarah soltó la pregunta que había prometido no hacer.

–¿Por qué nunca hablas de tu primera mujer?

Gabe palideció.

–Ese matrimonio terminó hace muchos años.

Ella apretó con más fuerza el picaporte.

–Pero no la has olvidado.

–Mi mujer murió, eso no es algo que se pueda olvidar fácilmente.

Sarah se arrepintió al instante de haber despertado tan dolorosos recuerdos. Aunque eso no evitó que se preguntara si la razón por la que Gabe no se había enamorado de ella se debía a que seguía enamorado de su esposa fallecida.

Un grupo de limpiadores pasó por delante de ellos con expresión de curiosidad.

Gabe mantuvo la mirada firme en Sarah.

–¿Por qué has apagado los teléfonos?

–Me encontré con Graham en el vestíbulo. Trató de seguirme hasta la habitación y luego empezó a llamarme.

–Graham. Por eso quiero que te mudes a la antigua fortaleza.

Miró a los limpiadores, que se habían detenido a escasa distancia de ellos y parecían fascinados por la conversación.

–No podemos hablar de esto en el pasillo. ¿Vas a dejarme entrar?

Sarah se echó a un lado para que entrara en la suite. Gabe cerró la puerta y se cruzó de brazos.

–¿Qué quería Graham?

–Quería que le tradujera una parte del diario escrita en francés antiguo.

Gabe la miró con cierto asombro.

–¿Sabes francés antiguo?

–Estudié un par de cursos de lenguas históricas –Sarah se encogió de hombros–. Pero no soy tan buena como Laine.

Gabe sacudió la cabeza.

–Si Graham vuelve a acercarse a ti, llámame inmediatamente. Y si estás pensando en discutir lo de trasladarte a la casa ya lo puedes olvidar. Necesito que estés a salvo.

Sarah sintió otro escalofrío en la espina dorsal. En aquel momento supo que lo que Gabe sentía por ella, todo lo que hacía por ella, no eran las acciones de un hombre de negocios que buscaba un matrimonio de conveniencia; eran las acciones de un guerrero de corazón apasionado. Un corazón que no había enterrado junto a su primera mujer.

Capítulo Doce

El camino hasta la casa, que estaba situada en un acantilado sobre Salamander Bay, les llevó quince minutos por una carretera estrecha y llena de curvas. La casa dejó a Sarah sin respiración, porque aunque había sido remodelada, quedaba claro que la estructura original era la de una fortaleza.

Gabe le presentó al ama de llaves y al jardinero, María y Carlos.

Sarah escogió un dormitorio de paredes blancas con una cama con dosel y mosquitera y con un balcón de piedra desde el que había una espectacular vista al mar.

Deshizo rápidamente el equipaje y se puso para cenar un vestido de seda roja ajustado. Cuando bajó las escaleras, Gabe estaba entrando desde la terraza que daba a un enorme salón lleno de muebles antiguos y obras de arte.

Sarah examinó con curiosidad el cofre tallado que ocupaba una esquina de la estancia.

–Debe ser una pieza del siglo XII. Parece que procede de un barco.

–Estaba en el barco de Camille, el Salamander. Es uno de los pocos objetos que sobrevivió al naufragio –Gabe señaló con la cabeza hacia la terraza–. Si quieres ver los restos del barco, todavía queda algo del casco, aunque está quemado en su mayoría.

Sarah siguió a Gabe a la terraza. Él se apoyó en la balaustrada y le señaló el perfil en sombras del barco de su antepasada, todavía visible allí donde se había encontrado, en los bajíos rocosos de Salamander Bay.

Luego Gabe la apuró para volver a entrar.

–Tenemos que hablar del encuentro con mis padres, y debemos hacerlo rápido, porque vienen de camino.

Se escuchó entonces el timbre de la puerta a lo lejos.

–Demasiado tarde –Gabe torció el gesto–. Ya han llegado.

Unos instantes más tarde, Sarah escuchó el sonido de unos tacones altos sobre el antiguo suelo de piedra mientras María acompañaba al jeque de Zahir y a la madre de Gabe al gran salón.

El jeque era alto y delgado y tenía una mirada oscura y penetrante. Gabe tendría exactamente el mismo aspecto dentro de cuarenta años. Su madre era esbelta y de altura media. A pesar de tener cincuenta y tantos años, con su pelo rubio oscuro corto parecía diez años más joven que su marido.

En cuanto Hilary Kadir miró a Sarah su expresión se suavizó y Sarah supo que todo iba a ir bien.

Hilary la abrazó.

–Hola Sarah, ¿estás a gusto? ¿Te trata bien mi hijo? –le dirigió a Gabe una mirada acusadora y luego sonrió antes de presentarse a sí misma y a su marido.

El jeque era amable pero serio. A juzgar por la palidez de su rostro, dedujo que todavía no se encontraba bien del todo, así que corrió a ofrecerle asiento. Se sonrojó al instante porque llevaba allí menos de una hora y la casa pertenecía a la familia Kadir.

Hilary sonrió.

–Lamentamos la encerrona, pero cuando supe que estabas embarazada no pude evitar venir. Dado que Jasmine...

–Mamá.

Hilary miró a su hijo con el ceño fruncido y luego sonrió a Sarah a modo de disculpa. María llegó entonces con la bandeja del té.

Gabe se quedó mirando entonces cómo Sarah respondía a las preguntas de su madre. Hasta aquel momento no había sido consciente de lo nervioso que estaba por aquel encuentro. Las cosas habían cambiado mucho. Había pasado de tener en mente un matrimonio de conveniencia a casarse con una mujer a la que deseaba. Era la situación opuesta a lo que tenía pensado.

El padre de Gabe se mostraba comprensiblemente cauto respecto a la relación aunque hubiera un bebé en camino. Gabe sabía que en aquel momento el mayor obstáculo para su padre era aceptar la situación económica, pero finalmente le había dado a su hijo las riendas financieras junto con su bendición.

Gabe miró entonces a Sarah, que seguía hablando con su madre, y pensó por qué se sentía tan atraído por ella. Seguramente se debía a su manera de ser franca y directa, tan opuesta a la de Jasmine. El modo en que había reaccionado ante Graham era buena prueba de ello.

Hilary sonrió a Sarah y la miró con ojos entornados cuando su marido y ella se iban a ir.

–Tú le amas, ¿verdad? Te lo noto.

Sarah sintió cómo se le sonrojaban las mejillas.

–Sí.

Dejó escapar un suspiro al darse cuenta de lo sencillo que era. Amaba a Gabe y así había sido desde el principio. Todo en él la fascinaba y la atraía. Pero debía cuidarse de que él no lo supiera.

–Le gustas –afirmó Hilary en voz baja–. Y creo que está como loco de que estés embarazada. Muchos matrimonios han empezado con menos.

Gabe llevó a Sarah a un pequeño restaurante de la costa que tenía una zona privada en un balcón que daba justo al mar. El entorno no podía ser más romántico.

Mientras cenaban, Gabe le contó más cosas de su familia, incluidos los nombres de unos treinta primos que debía aprenderse. Después de la cena, Gabe la llevó a la fortaleza.

La casa estaba a oscuras a excepción de un par de lamparitas encendidas en el salón. Entraron directamente en la habitación como si fuera lo más natural del mundo.

El perfumado calor del aire de la noche los rodeó mientras se desvestían a un ritmo más lento, muy distinto al salvaje interludio de la casa de la playa de aquella tarde.

Gabe la tomó en brazos sin ningún esfuerzo, la dejó sobre la cama y se acostó a su lado y la besó larga y tiernamente.

–¿Quieres que me ponga preservativo? –preguntó alzando la cabeza.

–¿Por qué hacerlo si no lo necesitamos? –murmuró ella pasándole un dedo por el pecho–. A menos que haya algún motivo... –se le formó un repentino nudo en la garganta.

–No lo hay. No he estado con nadie desde que estoy contigo.

Sarah sintió una punzada de felicidad. Sus palabras no era una declaración de amor, pero significaban algo. Le deslizó las yemas de los dedos por la cicatriz. Gabe le agarró la mano con gesto posesivo y se inclinó para volver a besarla. Esta vez hicieron el amor de un modo más tranquilo, más profundo, mientras la noche los iba envolviendo lentamente y Sarah sentía que algo maravilloso había cobrado vida entre ellos.

Sarah se despertó con la grisácea luz de la mañana y el sonido de Gabe en la ducha. Él se vistió con la misma ropa de la noche anterior y le dio un beso en la mejilla. Como no tenía ropa en la casa debía regresar a su apartamento del palacio para cambiarse. Adormilada, Sarah accedió a comer con él.

Cuando Gabe se marchó, Sarah se tomó un delicioso desayuno en la terraza y luego buscó en Internet los eventos del palacio. Aquel día era una jornada de puertas abiertas. Formaba parte de la promoción que circulaba alrededor de la boda, así que el palacio estaría seguramente abarrotado. Un relaciones públicas llamado Faruq parecía estar al mando de todo.

Ya que se suponía que ahora la boda iba a ser la suya, Sarah decidió arriesgarse y unirse a la visita a pesar de que Gabe le había advertido que se mantuviera lejos de las miradas por el momento. Una visita por el palacio como una turista anónima le ayudaría a pasar el tiempo hasta la hora de la comida y le proporcionaría más información sobre la familia de Gabe antes de formar oficialmente parte de ella.

El sol brillaba sobre los acres de jardines perfectamente cuidados y las elaboradas alas y torres del palacio. El edificio era en sí mismo romántico y bello. Le parecía un sueño pensar que algún día viviría allí.

A pesar de haber visto fotos, la dejaron sin aliento sus techos abovedados, las columnas de mármol y los suelos de mosaico. Se quedó rezagada en un pasillo que parecía una galería de arte, y en aquel momento pasó por allí una mujer joven y esbelta acompañada por dos hombres altos vestidos de traje y con el inconfundible aspecto de guardaespaldas.

Sarah se quedó impactada al reconocer a Nadia. El estómago se le puso del revés. Solo podía haber una razón para su presencia allí: estaba intentando recuperar a Gabe.

Después de todo lo que Gabe y Sarah había compartido el día anterior y la noche, no debería preocuparse por las maquinaciones de Nadia. Pero no pudo evitar preguntarse si no sería aquella la razón por la que Gabe no quería que fuera al palacio.

Capítulo Trece

Sarah observó con el ceño fruncido dónde iba Nadia mientras la visita entraba en una biblioteca que usaba la familia. Miró hacia la estancia que daba a la librería y vio unos hombros familiares.

No esperaba ver a Gabe. Le había dicho que estaría toda la mañana de reuniones. Aunque por supuesto, no le había dicho con quién se iba a reunir. Se cerró la puerta, bloqueándole la visión a Sarah.

Se dirigió a la puerta cerrada. La abrió de golpe y entró como si la estuvieran esperando. Gabe, que estaba inclinado sobre un reluciente escritorio de caoba, giró la cabeza y la miró a los ojos. Nadia también la miró, claramente molesta por la interrupción. Sarah empastó una sonrisa helada en la cara y siguió mirando fijamente a Gabe.

–Cariño, espero no interrumpir nada importante. Solo quería confirmar a qué hora vamos a ir a comprar el anillo de compromiso, ¿antes o después de comer?

Se acercó a Gabe y se puso de puntillas. Le agarró las solapas de la chaqueta del traje y le besó en la boca, fijándose en que le brillaban los ojos con expresión bienhumorada.

Él le pasó los brazos por la cintura y la atrajo hacia sí.

–¿Te parece bien antes de comer?

–Muy bien. Voy a seguir con la investigación

que estoy haciendo en la puerta de al lado –volvió a besarlo una vez más y luego se dirigió hacia la puerta–. Terminaré cuando tú hayas terminado aquí.

Con la adrenalina bombeándole con fuerza, Sarah volvió directamente con el grupo, pero ya no estaba interesada en la arquitectura ni en las maravillas del palacio. Se apartó de ellos y volvió a toda prisa a la enorme biblioteca, hacia las puertas que daban a un balcón abierto a un patio. Como la biblioteca estaba al lado del despacho de Gabe, si entraba ahí podría escuchar lo que estaba sucediendo con Nadia.

Avanzó de puntillas por el patio pavimentado y se colocó detrás de un grueso arbusto tropical para mirar hacia el despacho de Gabe. Pero no vio nada. Frustrada al pensar que a lo mejor se había confundido de despacho, se acercó un poco más a la ventana.

–¿Ves algo interesante?

El tono de voz de Gabe hizo que se diera la vuelta. Lo hizo tan deprisa que tuvo que agarrarse a una rama para no caerse.

–Todavía no.

Gabe la sacó del arbusto y le quitó una hoja del pelo.

–Creí que habíamos quedado en que no vendrías a palacio.

–¿Porque entonces descubriría que tenías una reunión con tu exprometida? –Sarah se zafó de sus brazos.

–Acabas de ver a Gerald Fortier enviando a su hija para presionar. Al parecer pensó que si me «animaba» un poco y me proporcionaba una zanahoria financiera extra seguiría adelante con la boda.

Sarah se quedó mirando la barba incipiente de Gabe.

–¿Y te ha animado?

Él le agarró suavemente la nuca y la atrajo hacia sí. Inclinó la cabeza y le rozó la boca con la suya.

–Si me hubiera animado, ¿crees que estaría aquí contigo? –le preguntó levantando la cabeza.

Sarah volvió a agarrarle las solapas de la chaqueta.

–No voy a disculparme por haber montado una escena –había perdido a su último prometido por otra mujer; no se arriesgaría a perder a Gabe.

–Nadia Fortier se ha marchado. Xavier la ha acompañado al hotel. Se irá esta tarde en el primer vuelo a París.

Gabe la guio otra vez hacia la biblioteca y luego a su despacho.

–Ya que estás aquí, tengo algo para ti. Te lo iba a dar en la comida, pero con el daño que ha causado Fortier filtrando fotos y documentos, tiene que ser ya. Faruq ha convocado una rueda de prensa para justo después de comer, y me gustaría que asistieras.

–¿Vas a anunciar oficialmente nuestro compromiso?

Gabe abrió una caja fuerte que había en la pared y sacó un juego de llaves. Remarcó con pocas palabras la información que iban a darle a los medios. A la luz del hecho de que Nadia y él habían descubierto que no eran tan compatibles como pensaban en un principio, habían puesto fin a su compromiso.

–No anunciaremos el embarazo todavía. Podemos hacerlo unos días antes de la boda.

Gabe le hizo un gesto para que pasara delante de él y Sarah salió al vestíbulo. Gabe abrió una pesada puerta de madera y bajaron por una escalera de piedra antigua. La brillante luz del día dio paso a una iluminación artificial. Se detuvieron ante otra puerta, más pequeña y con alarma.

Él introdujo el código y entraron en una sala que debió haber sido una bodega en el pasado. Gabe se detuvo frente a una puertecita de acero de última tecnología que sin duda daba a una cámara acorazada y pulsó la combinación para abrirla.

La pequeña estancia estaba iluminaba por bombillas halógenas y llena de estanterías de metal en las que había vitrinas con libros antiguos, pergaminos y archivos que al instante llamaron la atención de Sarah. Como historiadora le encantaba estudiar documentos originales, aunque pocas veces tenía oportunidad de hacerlo. También había cajas y armaritos cerrados con llave.

–¿Era aquí donde se guardaba la dote?

Gabe rebuscó en el anillo de llaves y encontró la que quería.

–Se guardaba aquí, pero en aquel entonces la seguridad era muy primitiva, por eso hubo que trasladarla cuando la isla fue evacuada.

Gabe escogió un armarito, lo abrió y sacó dos estuches de terciopelo azul oscuro. Los dejó sobre una mesa de metal que ocupaba el centro de la cámara y abrió el más pequeño. Sarah, que estaba preparada para que le diera un anillo ya que aquella tarde iba a ser presentada como su prometida, se quedó sin embargo asombrada.

El anillo no era la antigua joya familiar que esperaba, elaborado por un joyero exclusivo, el zafiro en forma ovalada ribeteado de diamantes era moderno, impresionante y precioso.

Gabe sacó el anillo y le tomó la mano izquierda a Sarah.

–¿Puedo?

Ella parpadeó para contener las ridículas lágrimas que le brotaron cuando le colocó el anillo en el dedo corazón. Era un momento que había vivido en dos ocasiones anteriormente, pero nunca había experimentado una emoción así.

–Es precioso –y le quedaba perfecto.

Gabe abrió el otro estuche, que contenía unos pendientes igual de bellos y un colgante.

–También necesitarás esto. Faruq ha quedado después de comer con la boutique de un diseñador para que te vistan para la conferencia de prensa.

Sintiéndose todavía algo confusa, la importancia práctica de la conferencia de prensa la devolvió a la realidad. Sarah se guardó los estuches en el bolso y unos minutos más tarde salieron de la cámara acorazada y regresaron al clamor del palacio y a su luz.

Al final la comida con Gabe quedó cancelada porque Faruq insistió en que Sarah no solo necesitaba ropa, sino que además había que peinarla, maquillarla y hacerle las uñas. Hilary Kadir, que se había unido a ellos, se ofreció a llevar a Sarah con su estilista. Rodeada por el personal de palacio, de pronto fue consciente de la responsabilidad de Gabe. Aquello explicaba su forma de ser pausada, el control de las emociones que podría confundirse con frialdad. Aunque ella sabía que nada más lejos de la realidad.

Dos horas de cuidados más tarde, vestida con una chaqueta ajustada y falda azul marino que le intensificaban el color de los ojos y el pelo alisado, Sarah entró en la conferencia de prensa con Gabe tratando de mantener una expresión serena.

Las preguntas llegaron rápido y sin tapujos, pero Gabe bloqueó la mayoría con un firme «sin comentarios».

Gracias al genio de Faruq, que también había hablado con la prensa de antemano y les había seducido con champán y canapés, el tema de su aventura antes de que Gabe se hubiera prometido con Nadia apenas se tocó. Al parecer ya era una noticia pasada. La gente quería escuchar la historia de la aventura amorosa entre el jeque y la profesora, una pareja que recordaba al pasado romántico de Zahir.

Animada por la atmósfera positiva, Sarah permitió que le fotografiaran el precioso anillo. Cuando uno de los periodistas le preguntó a Gabe si por fin había superado lo de Jasmine y qué sentía al volver a casarse, Gabe se puso de pie, la tomó de la mano y salió de la sala con expresión fría tras darle las gracias a la prensa.

Cuando llegaron al estudio de Gabe, este recibió una llamada. Su expresión taciturna se volvió todavía más fría. Miró a Sarah pero no parecía verla. La informó con sequedad que había surgido un imprevisto y le ordenó al guardia que la acompañara a la casa del acantilado.

Capítulo Catorce

Sarah miró por el espejo retrovisor cuando un sedán negro salió del aparcamiento que había detrás de ella. Sintiéndose cada vez más y más molesta, entró en el aparcamiento de la casa del acantilado. Necesitaba un poco de aire lejos de ese guardia de dos metros, Yusuf.

Se cambió y se puso una camisola de algodón con una chaqueta blanca de punto y fue a mirar dónde estaba Yusuf. Al escuchar su voz en la cocina, agarró la cámara y la bolsa y salió por una puerta lateral. Al llegar al coche, arrancó el motor y se puso en marcha. Vio por el espejo retrovisor cómo Yusuf salía a toda prisa.

Se dirigió hacia la carretera de la costa. Sonó el teléfono, pero no contestó. Cuando llegara al pie del acantilado le pondría un mensaje de texto al número que le había dado antes de salir del palacio y le diría que estaría fuera una hora máximo. Tomó una segunda desviación y enfiló colina abajo hacia el aparcamiento de la playa.

Sarah dejó escapar un suspiro cuando Salamander Bay apareció ante su vista, salvaje y bella y casi sin gente. Dejó el coche en un aparcamiento ocupado por media docena de vehículos, se bajó y sintió el consuelo de la espectacular belleza de la playa de arena blanca y su promontorio de roca.

Tras mandarle un mensaje a Yusuf, tomó una foto de la playa, otra del promontorio y luego empezó a caminar por el borde del promontorio. Se sentía muy inquieta porque le preocupaba que Gabe estuviera todavía enamorado de Jasmine. La altura le proporcionaba una mejor visión de la playa y del lugar de naufragio del Salamander. El reflejo del sol sobre una superficie pulida captó su atención. Un sedán negro acababa de detenerse en el aparcamiento.

Cuando Graham salió del coche y la saludó, no se lo podía creer. Sarah fingió no verle y siguió haciendo fotos.

Muy molesta al comprobar que parecía encontrar siempre la manera de invadir su vida, se alejó un poco más por las rocas. La ola más grande que había visto en su vida sumergió casi por completo las rocas que había delante. La espuma se le acercó tanto que la mojó. Consciente de pronto del peligro que corría, Sarah guardó la cámara en la bolsa y se dirigió hacia la orilla.

Sintió un nudo en el estómago cuando un atisbo de movimiento le indicó que alguien caminaba hacia ella. Se dio la vuelta y vio a Gabe, todavía vestido de traje.

–Déjame adivinar: Yusuf te ha llamado.

–Se suponía que no podías salir de la casa sin él –Gabe la miró fijamente–. ¿No has leído el cartel?

–¿Qué cartel?

El sonido de otra enorme ola chocando contra la roca la hizo darse la vuelta. Gabe le pasó el brazo por la cintura para sostenerla.

–El cartel que dice que no se puede subir a las rocas –se hizo un breve silencio–. Aquí es donde Jasmine murió en su barco.

El impacto de la frase y la mención de Jasmine

quedaron olvidados por la siguiente ola, todavía más alta que la anterior. Gabe entrelazó los dedos con los suyos y empezó a tirar de ella hacia la orilla.

–Lo siento –murmuró Sarah mientras trataba de seguirle el paso–. Debería haber tenido más cuidado. Graham apareció en la playa y me puse un poco nerviosa. Pensé que intentaría seguirme.

Gabe apretó los labios.

–No te preocupes por Graham. Xavier lo tiene vigilado.

Gabe miró hacia la cara del acantilado. Graham seguía por allí en alguna parte, porque su coche estaba en el aparcamiento, aunque no se le veía por ningún lado. A lo mejor había desaparecido en el laberinto de cuevas que bordeaban la roca.

Cuando Gabe habló lo hizo con voz tensa.

–Esta noche te voy a trasladar a palacio.

La noche estaba cayendo y el cielo brillaba con la luz de las estrellas mientras él conducía hacia el aparcamiento situado bajo el palacio.

Abrió la puerta de su aposento y un brillo cálido apareció ante ellos cuando entraron en el salón principal, que estaba lleno de cómodos sofás de piel y mesitas auxiliares. Había una mesa de comedor en un cuartito al lado de la inmaculada cocina. La mesa estaba puesta y las velas encendidas, creando una acogedora elegancia, y los cálidos aromas de la comida colocada en platos calientes de plata inundaban el aire.

Gabe le enseñó el resto de la casa.

Sarah entró en lo que parecía la habitación

principal, ya que tenía su propio cuarto de baño con vestidor.

Sintió una ligera punzada de tensión al ver su maleta en el vestidor.

–Doy por hecho que esta va a ser mi habitación.

Gabe estaba apoyado en el quicio de la puerta mirándola.

–Así es, la compartirás conmigo.

Sonó el teléfono de Gabe. Lo sacó del bolsillo, miró la pantalla y frunció el ceño.

–Tengo que contestar.

–No pasa nada.

Mientras Gabe contestaba a las llamadas sentado en el escritorio de un pequeño estudio que daba a la sala, Sarah deshizo el equipaje y luego se dio una ducha rápida para quitarse los residuos de salitre. Se secó con la toalla y se puso ropa interior limpia. Decidió vestirse con un exquisito caftán de seda rosa pálido que había comprado en el zoco la mañana que Gabe la encontró.

Se peinó con el secador. Al terminar se aplicó un poco de sombra de ojos. Rebuscó en la maleta y encontró la pasmina en tonos rosas y rojos que iba a juego con el conjunto. Observó el efecto en el espejo del baño. El atuendo era más discreto que el vestido rojo que llevaba la noche que conoció a Gabe, solo se veía un poco de escote. Y sin embargo resultaba infinitamente más femenino y misterioso.

Con el pelo cayéndole por los hombros como una oscura cortina y los ojos rasgados por el efecto de la sombra, ya no parecía ni remotamente una sensata profesora de historia, ni tampoco se sentía así. La ropa parecía marcar el cambio interior que había tenido lugar casi sin que Sarah fuera consciente de ello.

Cuando volvió a la sala, Gabe estaba sirviendo la comida. Debió haberse dado una ducha en el otro baño, porque tenía el pelo húmedo y se había puesto unos pantalones oscuros y un polo. Su mirada se cruzó con la de ella cuando dejó sobre la mesa un plato con comida.

–¿Tienes hambre?

–Mucha.

Comieron, y aunque estaba todo delicioso, Sarah apenas pudo concentrarse porque era demasiado consciente de la presencia de Gabe.

Cuando terminó, él se llevó el plato a la cocina y lo dejó en el fregadero.

–¿Quieres postre?

Sarah le siguió y puso el cuenco vacío de ensalada sobre la encimera.

–No.

–Yo tampoco –Gabe sonrió, la tomó en brazos y la llevó al dormitorio–. Cuando te he visto aparecer así pensé que no sería capaz de terminar la cena.

La dejó en el suelo. La pasmina cayó cuando Sarah se alzó para darle un beso. Y luego siguió otro. Sintió cómo el caftán le resbalaba por los hombros y caía al suelo. Dos pasos atrás y ya estaban en la cama, esta vez ella encima. Unos minutos más tarde estaba completamente desnuda, igual que Gabe.

La tensión se apoderó de ella al observarle bajo la tenue luz del pasillo. Por primera vez empezaba a creer que podría ser suyo.

Le sujetó la cara con las manos y le miró directamente a los ojos.

–Te amo –eran palabras claras y sencillas, que no le dejaban lugar donde esconderse.

En lugar de las palabras que Sarah esperaba como respuesta, sintió la instantánea tensión de Gabe y supo que no tendría que haber hecho aquella declaración, no debería haberle presionado. Aunque Gabe mencionó a Jasmine aquel día, todavía era muy pronto. Una décima de segundo más tarde, él la besó y, decidida a no preocuparse, Sarah se relajó con el beso y dejó que el calor de su acto amoroso los acompañara a ambos.

Una llamada de teléfono a primera hora de la mañana sacó a Sarah de un sueño profundo. Se giró y le pasó a Gabe un brazo por la cintura. Estaba apoyado sobre un codo, hablando en zahirí. Cuando colgó, la grisácea luz del amanecer iluminó la seria expresión de su rostro.

–Era Xavier. Han estado vigilando a Graham. Al parecer ha encontrado la dote perdida, que estaba escondida en una cueva en Salamander Bay. Eso era lo que estaba haciendo ayer allí, empaquetando las cajas y preparándose para transportarlas al muelle de carga del puerto, donde le esperaba un barco carguero –Gabe dejó el teléfono–. Maldito Graham y maldita dote. ¿Por qué tenía que encontrarla ahora?

Gabe se levantó de la cama, se vistió y se marchó en cuestión de minutos. Incapaz de volver a dormirse, Sarah se puso el caftán de seda, se aseó en el baño y se dirigió al salón. Las palabras de Gabe resonaban en su cabeza. Como si Gabe hubiera deseado que la dote apareciera en otro momento. Seguramente meses atrás, un año atrás, así no habría tenido que sufrir la presión para que se casara. Y si eso no hubiera ocurrido, nunca habría pasado una peligrosa noche de pasión con ella que terminó en embarazo y en un posterior matrimonio de conveniencia.

Sarah se pasó los dedos por el pelo enmarañado y recorrió el enorme apartamento hasta llegar al estudio de Gabe, la única estancia que él no le había mostrado. Encendió una luz y cruzó hasta las puertas del balcón que daban a un precioso patio. Cuando se dio la vuelta, se fijó en que había un álbum de fotos encuadernado en piel sobre un pulido escritorio de caoba.

Aunque sabía que no debía hacerlo, abrió el álbum. En la primera parte había fotos del compromiso de Gabe y Jasmine. Después de las fotos de la boda estaban las de la romántica luna de miel. Sarah se sintió un poco revuelta, porque Jasmine parecía feliz en cada foto. Rodeaba a Gabe por el cuello o por la cintura, como si no pudiera soportar no tocarle.

Sarah cerró el álbum de golpe. Al hacerlo se dio cuenta de que al lado había una carpeta con su nombre.

La agarró como una autómata y la abrió. Quince minutos más tarde volvió a dejar el informe en su sitio. Tenía ganas de vomitar. Sabía que Gabe la había investigado, pero el informe era un detallado historial de seguimiento que Gabe había ordenado tras su primera noche juntos. Decía expresamente que quería que la vigilaran en caso de que estuviera embarazada.

Descubrir la verdad de cómo Gabe la veía en

contraste con su romántica relación con Jasmine resultaba difícil de digerir. Dolía.

Por muy comprensiva que intentara ser, no era ninguna estúpida. Tenía límites, y esos límites acababan de ser traspasados.

No podía casarse en semejantes condiciones. Si no se hubiera quedado embarazada no habría vuelto a ver jamás a Gabe.

Salió del estudio y regresó al dormitorio. Un dormitorio que ya no sentía suyo.

Abrió las puertas del balcón y salió para mirar la ciudad y el mar. No se creía capaz de superar lo de Gabe, pero tampoco sería su segundo plato. Quería un amor de verdad con Gabe.

Sabiendo ahora que nunca lo tendría, debía actuar en consecuencia. Cuando naciera la niña, Gabe la querría y sería un padre para ella, tal vez a él no le gustara la idea, pero lo único sensato era tener la custodia compartida.

Sarah terminó de sacar las maletas del armario. No sabía cuánto tiempo tenía antes de que Gabe volviera, así que se limitó a meter ropa dentro. Agarró el anillo de compromiso, que había dejado en la mesilla de noche, y lo volvió a guardar en el estuche de terciopelo. Dejó ese estuche con el otro, en el que estaban los pendientes y el colgante, en la cómoda. Siguiendo un impulso, entró en el estudio de Gabe, agarró el álbum de fotos y el informe de vigilancia y los dejó al lado de las joyas.

Consultó el reloj. Había pasado ya una hora. Tenía que marcharse antes de que pudiera cambiar de opinión.

Capítulo Quince

Gabe cerró el coche y se dirigió hacia la escalera. Ahora que la situación con Graham y la dote estaba resuelta, con Graham detenido y la dote a buen recaudo, lo único que Gabe quería hacer era volver a la cama con Sarah y aprovechar al máximo el tiempo que les quedaba antes de que los grandes medios de comunicación se enteraran de la historia y se desatara el infierno.

Faruq estaba coordinando lo que se filtraba a la prensa. Con un poco de suerte lograría presentar el descubrimiento del antiguo tesoro como una señal de que la boda con Sarah era un buen auspicio para Zahir. La romántica historia de la aventura amorosa de su antepasado con Camille de Vallois haría el resto.

Gabe entró en el apartamento. El silencio hizo que frunciera el ceño. Escuchó fuera el ruido de la puerta de un coche al cerrarse y luego el sonido del motor. Entró a toda prisa en el dormitorio. La cama estaba vacía. Sintiendo un nudo en el estómago, miró en el baño, que también estaba vacío. Vio por el rabillo del ojo los dos estuches de terciopelo en la cómoda y el álbum de fotos y el informe de vigilancia que él había dejado en el escritorio con intención de destruirlos aquella misma mañana.

Se quedó helado por dentro. Estaba claro que Sarah los había encontrado y los había visto. Una rápida mirada a la habitación le confirmó que se había marchado.

Durante unos largos instantes no pudo pensar. Entonces recordó el ruido de la puerta de un coche cerrándose en la calle. Sarah debía haber llamado a un taxi.

Con el corazón latiéndole con fuerza contra el pecho, sacó el móvil, llamó a Xavier y le pidió que la retuviera en el aeropuerto.

Hizo un esfuerzo para mirar con desagrado uno de los últimos regalos que le había hecho Jasmine, un álbum lleno de fotos que retrataban una historia de amor que había terminado por ser asfixiante y poco sana.

Apretó la mandíbula y abrió el informe de vigilancia, donde leyó su orden de que se vigilara a Sarah en caso de que estuviera embarazada. El informe incluía un extenso historial sobre la vida pasada de Sarah, porque Tarik le había pedido al detective que investigara en sus años anteriores.

Al leer los hechos desnudos daba la impresión de que Sarah era una mujer que tenía mucha experiencia con los hombres, pero Gabe sabía la verdad. La razón por la que ninguna de sus relaciones había cuajado se debía a que se había negado a acostarse con ellos. Sin embargo, con él lo había hecho a las pocas horas de conocerle.

Porque se había enamorado de él.

Recordó cómo se lo había dicho aquella misma noche, su completa falta de respuesta, porque se había cerrado automáticamente.

Ella le amaba.

Gabe sintió como si le hubieran dado una patada en el pecho. Sarah no era como Jasmine, que se tambaleaba como una hoja al viento, que era mimada y consentida. Sarah era independiente y valiente, acostumbrada a actuar a su manera en la vida. Se negó durante años a dejarse llevar por la presión en una relación por tener sexo. Había esperado para elegir, y lo había elegido a él.

Cuando supo que estaba embarazada, no entró en pánico. No había ido a buscarle para obligarle a nada, sino para saber si debía incluirlo en su vida. Aquellos eran los actos de una mujer independiente y racional que se había enamorado.

Gabe dejó el informe sobre el escritorio, agarró las llaves y de dirigió al coche. Sentía todos los nervios del cuerpo en llamas. Ella se lo había dicho, pero ahora sabía con el corazón por qué Sarah accedió a casarse con él y por qué se había marchado. Le amaba, pero había renunciado a la esperanza de ser correspondida.

Y de pronto fue consciente de lo que se había hecho a sí mismo y a Sarah. Tras la muerte de Jasmine, pasó años consumido por la culpabilidad, no porque no consiguiera salvarle la vida, sino porque nunca había sido capaz de amarla.

Jasmine y él no estaban bien juntos, y esa tensión reverberó a través de su matrimonio y terminó en una tragedia que había coloreado el resto de su vida.

Gabe sintió una punzada de pánico. Sentía como si le hubieran arrancado una venda de los ojos. Ahora, cuando ya era demasiado tarde, se daba cuenta de que amaba a Sarah. Y la había perdido.

Iba a mitad de camino del aeropuerto cuando se dio cuenta de que aquella no era la dirección.

Sarah era lista, sabía que a Gabe le habría resultado muy fácil impedir que subiera a un avión.

Dio la vuelta con el coche y se encaminó hacia la terminal del ferri, el único modo que había de salir de Zahir si no era en avión. Aquel día no salía ningún crucero, y alquilar un yate suponía un proceso largo porque había que hacer declaración de aduanas. La opción más sencilla era embarcar en un ferri con destino a la vecina isla de Al Jahir.

El estómago le dio un vuelco al pensar que había escogido el mar como medio para escapar de él. Igual que Jasmine.

Mientras conducía fue repasando cada detalle de su última conversación, que había girado en torno a la dote. Sabía que, igual que para él, el dinero y las posesiones no eran importantes para Sarah. Graham había buscado el tesoro por su propio interés. Pero a Sarah solo le importaba si el antepasado de Gabe había amado a Camille.

Gabe apretó con más fuerza el volante al girar por la calle que llevaba al muelle. Encontró un espacio libre y dejó el coche. Sarah había sido clara y sincera. Le había dicho que le amaba, pero él no había contestado igual. Había tomado el camino fácil. La salida de los cobardes, porque no quería dejar al descubierto sus sentimientos. No quería afrontar ningún riesgo.

Eso tenía que cambiar; no podía perderla. Gabe se enfrentó al cúmulo de emociones que en el pasado le habían causado más dolor que felicidad. No dejaría marchar a Sarah sin pelear.

***

Sarah embarcó en el ferri de la mañana rumbo a Al Jahir.

Bajó a la cubierta inferior, que ya estaba medio llena de pasajeros tomando café y viendo la televisión y buscó un sitio cerca de la ventana. Se detuvo al ver que el programa que estaban viendo los pasajeros era un reportaje sobre las cajas de oro y joyas que Graham había intentado robar.

No tenía humor para escuchar aquella historia, así que estaba a punto de salir a cubierta cuando la voz grave de Gabe la dejó pegada al televisor. Reconoció las imágenes de una entrevista que habían utilizado para ilustrar el tema de la dote, le dolió el «sin comentarios» que dijo Gabe cuando le preguntaron por su próxima boda.

Sarah se estremeció ligeramente y subió a la cubierta superior. Se metió para protegerse del frío viento. Se quedó mirando hacia una de las ventanas de palacio, que brillaban bajo los primeros rayos de la luz del sol, y el conjunto de calles y villas que le conferían tanto encanto a Zahir. Sintiéndose muy desgraciada, hizo un esfuerzo por mirar en dirección de Al Jahir, un montículo nebuloso en el horizonte. Había tomado la decisión correcta aunque no se sintiera bien.

Estaba cansada, así que pidió una taza de té en la pequeña cafetería. Supuso que debería comer algo, pero tenía el estómago revuelto y el balanceo de las olas no ayudaba.

Escogió un asiento que daba al muelle por si Gabe aparecía antes de que el ferri partiera. Confiaba en que no hubiera ido tras ella, porque en ese caso no sabía si contaría con la fuerza necesaria para resistirse a él.

***

Gabe entró en las oficinas del ferri. Se había perdido la partida por veinte minutos. Todavía podía verlo en la distancia. Pidió ver la lista de pasajeros. Apretó la mandíbula al ver el nombre de Sarah.

Dio las gracias al encargado, salió del edificio e hizo una llamada. Al Jahir estaba gobernado por su primo Kalil. Tenían una relación distante, pero no importaba. Eran familia. Hizo una segunda llamada y pidió un helicóptero.

Media hora más tarde aterrizó en los muelles de Al Jahir. Cuando el ferri, al que habían prohibido desembarcar hasta que Gabe se hubiera llevado a Sarah, echó el ancla al lado de la orilla, Gabe se subió a la lancha que le había dejado Kalil y subió a bordo.

Cuando ella le vio, su expresión impactada le dio un poco de esperanza. Aunque había llevado muy mal su relación, se preguntó si habría logrado destruir su amor.

Gabe ignoró las protestas de los pasajeros del ferri y se centró en Sarah.

–¿Vienes conmigo?

Ella se puso de pie de un salto y agarró con fuerza el bolso.

–¿Por qué?

–Porque tu sitio está en Zahir conmigo.

La turista que estaba al lado de Sarah murmuró:

–Tengo entendido que la esclavitud pasó de moda hace algunos años.

Alguien más asintió con un gruñido y añadió:

–Y la piratería también. Cariño, si necesitas ayuda no tienes más que decirlo.

Gabe siguió sin apartar los ojos de Sarah.

–Eres libre de marcharte cuando quieras. Pero necesito que me escuches. En privado.

Unos minutos más tarde, atrapada entre la tristeza y la alegría de que Gabe hubiera ido a buscarla, Sarah permitió que Gabe la ayudara a subir a la lancha.

Tras un corto trayecto en helicóptero aterrizaron en la azotea del palacio, en la que había un helipuerto.

Sarah entró en el apartamento de Gabe con un nudo en el estómago.

–Me marché porque no quiero que pienses que tienes que casarte conmigo para tener acceso a la niña –alzó la barbilla–. Eres su padre, así que es justo que formes parte de su vida. Solo tenemos que llegar a un acuerdo sobre cómo hacerlo.

Gabe se quitó la chaqueta y la dejó en el respaldo de una silla. Se pasó los dedos por el pelo. De pronto parecía muy cansado.

–Zahir es un país chapado a la antigua. El único acuerdo que funciona aquí es el matrimonio, y eso es lo que quiero.

Ella parpadeó ante la intensidad de su mirada.

–Encontré el informe de vigilancia.

La expresión de Gabe se volvió más dura.

–Era algo que tenía que hacer porque sabía que no podía permitirme volver a contactar contigo a menos que hubiera un hijo. Si yo no hubiera pedido el informe, lo habría hecho Xavier. Al menos así me aseguré de la que información me llegara solo a mí para garantizar tu intimidad.

La tensión que había sentido al descubrir el informe se relajó un poco. Seguía odiando que la hubiera espiado, pero visto de aquel modo, los actos de Gabe tenían un elemento protector.

–Pensé que odiabas el hecho de que te obligaran a casarte. Si la dote hubiera aparecido hace meses…

–Nunca me habría prometió a Nadia. Y como iba a ir a Nueva Zelanda en viaje de promoción, nuestra relación habría seguido seguramente un camino más normal.

Sarah se quedó mirando el latido del pulso en su mandíbula.

–Pero cuando Graham encontró la dote…

–Me molestó porque finalmente te tenía para mí y Graham volvía a aparecer en la foto –Gabe torció el gesto.

Sarah aspiró con fuerza el aire. Estaba empezando a sentirse feliz, pero no podía relajarse todavía.

–¿Y qué pasa con Jasmine?

–Me casé con Jasmine porque pensé que la amaba, pero eso fue hace muchos años.

Las palabras «pensé que la amaba» resonaron como un eco. A Sarah se le cerró la garganta, y cuando volvió a hablar las palabras le salieron como un gemido.

–¿Todavía la amas?

La expresión de Gabe se suavizó un poco.

–Era mi novia de toda la vida. Los medios lo convirtieron en una gran historia de amor, pero el matrimonio fue un error. Jasmine se quedaba atrapada en Zahir mientras yo viajaba. Ella lo odiaba.

Gabe le narró entonces con pocas y secas palabras el día que Jasmine se ahogó. Cada vez pasaba más y más tiempo fuera por trabajo, cansado de las peleas y de la infelicidad de Jasmine. Cuando ella insistió en acompañarle a un viaje de buceo Gabe accedió, y cuando volvieron a pelearse, él sugirió que pusieran fin al matrimonio. Jasmine perdió los estribos y se colgó desesperadamente de él. Cansado de sus manipulaciones, Gabe la apartó y se bajó a estudiar las cartas de navegación. Cuando volvió a cubierta, Jasmine, que nunca en su vida había manejado un barco, se había subido al bote, decidida a llegar a la orilla remando. El bote fue arrastrado contra las rocas. Gabe se lanzó a buscarla.

Sarah le tocó la mejilla.

–Y así te hiciste esto.

Gabe le puso la mano sobre la suya.

–Tenía que sacarla de las rocas.

Y la cicatriz se había convertido en un permanente recordatorio de que no había sido capaz de salvarle la vida a su mujer. Peor, de que ya no la amaba. No era de extrañar que no hubiera querido volver a amar a nadie.

–No puedes pensar que fuera culpa tuya.

–No tendría que haberme peleado con ella en el barco.

–Y ella no tendría que haberse subido al bote –aseguró Sarah–. Siento que muriera, pero puso en peligro tu vida tanto como la suya.

La mirada de desconcierto de Gabe le hizo saber que no lo había visto desde aquel ángulo. Prefirió cargar con todo el peso sobre sus hombros. El único problema era que la culpa se había transformado en una aversión hacia el compromiso emocional que había estado a punto de destruir su posibilidad de amar.

Gabe entrelazó los dedos con los suyos y la atrajo hacia sí.

–Cuando apareciste tú supe que tenía un problema, pero traté de canalizar el sentimiento y convertirlo en un pura conexión sexual. No funcionó.

–Entonces me quedé embarazada –y Gabe intentó transformarlo en una relación segura y convencional, pero tampoco funcionó.

Sarah le acarició la mandíbula. De pronto podía ver su ternura y su profundidad.

–Aunque yo te causaba muchos problemas, no me dejaste ir –trató de aspirar con fuerza el aire, pero tenía una presión en el pecho–. ¿Por qué?

Él la abrazó por encima del suéter.

–Eso debe ser porque estoy enamorado de ti.

La felicidad se abrió paso dentro de ella. No solo la amaba, sino que estaba enamorado de ella.

–¿Desde cuando?

–Desde el momento que te vi ignorar por completo el cartel de «no tocar» y tirar la espada de mi antepasado al suelo –Gabe la estrechó entre sus brazos–. Supongo que piensas que como soy un hombre no puedo tener sentimientos tan profundos.

Sarah extendió las palmas sobre la cálida solidez de su pecho y disfrutó del firme latido de su corazón.

–Sabía que yo era tu última aventura antes de

que te prometieras –Sarah volvió a sentir un destello del antiguo dolor.

–Estaba a punto de prometerme. Era un acuerdo que había llevado meses de negociaciones y lo dinamité al acostarme contigo. Eso debería indicarte algo.

Sarah se quedó paralizada. Se dio cuenta entonces de que en algún momento había perdido la habilidad de ver la foto entera, o de leer entre líneas. Ahora sabía que Gabe se había pasado la mayor parte de su vida adulta anteponiendo a Zahir antes que a sus propios deseos.

–Sí que te enamoraste de mí.

Gabe le sostuvo el rostro y le acarició los pómulos con los pulgares.

–Perdidamente.

–Como yo de ti.

La mirada de Gabe se clavó en la suya. Ella le rodeó el cuello con los brazos y lo atrajo hacia sí con fuerza. Sabía sin ningún género de dudas que su hija y ella podrían confiar a ciegas en Gabe.

Por fin habían llegado a casa.

Capítulo Dieciséis

No retrasaron la boda, aunque Gabe se mostró dispuesto a hacerlo. Sarah, que ahora estaba segura de su amor, decidió que tenía que cumplir su parte con Zahir. Estropear los planes de viaje de cientos de personas no le parecía el mejor comienzo.

Al día siguiente, Gabe la acompañó a su estudio, donde Faruq esperaba impaciente para saber cómo afectaría aquella nueva boda a sus esfuerzos promocionales.

Se quedó visiblemente aliviado cuando Sarah le informó de que estaba dispuesta a aceptar la fecha fijada para la anterior boda.

–Pero no voy a casarme de noche, como si fuera una especie de secreto…

–No puede ser un secreto con cuatrocientos invitados.

Sarah frunció el ceño por la interrupción.

–También quiero que el hijo de mi prima Laine sea el paje –continuó–. Y que sus tres hijas lleven las flores. No creo que sea muy difícil, son familia y viven en la isla de al lado.

Sarah no apartó la atención de Faruq mientras él tomaba notas.

–También es fundamental que la gente entienda que Gabe no se casa conmigo por obligación –aseguró con una sonrisa acercándose a su futuro marido.

Se puso de puntillas y le dio un beso. Entonces escuchó cómo se cerraba la puerta suavemente tras Faruq. La reunión había terminado un poco precipitadamente, pero no importaba. Faruq era un genio creativo y estaba entusiasmado con el potencial de promoción de la boda de Gabe con una descendiente de Camille, todo ello combinado con la recuperación de la antigua dote. Según Faruq, esos dos aspectos potenciarían la nueva imagen de Zahir como destino para una escapada romántica.

Era una fórmula ganadora para el país, pero para Gabe aquellos dos elementos no tenían mucha importancia. Él había conseguido finalmente lo que quería, al amor de su vida y a su primera hija con ella.

El día de la boda amaneció claro y soleado. La ceremonia se celebró en la antigua iglesia de piedra que había al lado del palacio. La dorada luz del sol se filtraba a través del rosetón de vidriera. La iglesia estaba abarrotada de invitados. Un murmullo recorrió los bancos cuando los padres de Gabe llegaron y ocuparon sus lugares. Su padre tenía un aspecto relajado y bronceado tras las recientes vacaciones, y ya caminaba con ayuda de un bastón. Su madre parecía feliz y estaba muy elegante y hermosa. Le dirigió a su hijo una sonrisa radiante.

Pero Gabe no podría relajarse del todo hasta que Sarah llegara. No debería sentirse inseguro tras los días y las noches que habían pasado juntos, pero no podía olvidar el angustioso momento en el que descubrió que ella le había dejado unas semanas atrás.

Xavier consultó el reloj y frunció el ceño.

–Llega tarde.

–Es la tradición –Gabe miró al sacerdote, que también estaba mirando la hora–. Seguramente esté metida en un atasco.

El ruido del exterior se hizo más sonoro. Uno de los guardaespaldas que estaba en la puerta asintió con la cabeza mirando a Gabe. Él suspiró y se relajó. Sarah ya estaba allí.

Sarah entró en la iglesia un poco agitada tras la frustración de estar sentada en la limusina durante lo que pareció una eternidad por culpa del tráfico.

Empezó a sonar una bonita marcha nupcial, y el murmullo de las conversaciones se acalló. Gabe se dio la vuelta. Estaba muy guapo con un traje gris y con la *kufiyya* tradicional. Sus miradas conectaron a través del velo de Sarah.

Ella agarró el elegante ramo que iba a juego con la línea sencilla de su vestido de novia y comenzó a avanzar despacio hacia su ya casi marido.

Cada paso que daba despertaba un recuerdo. Gabe incorporándose con la espada en la mano en la recepción de Wellington, el rescate en el aparcamiento, su primer beso, la primera noche que pasaron juntos.

Sarah contuvo las lágrimas y se detuvo frente al altar antes de girarse hacia su futuro marido.

El jeque Kadin Gabriel ben Kadir, heredero del reino de Zahir.

Le temblaron un poco las rodillas, pero entonces él le levantó el velo de la cara y le tomó las manos. El calor de su mirada la tranquilizó.

La quietud de la iglesia y la belleza de las palabras de la ceremonia la llenaron de una emoción penetrante. Cuando Gabe le deslizó en el dedo la sencilla alianza de oro brotaron finalmente las lágrimas.

La boca de Gabe rozó la suya; sus manos se posaron en su cintura y las sintió a través de la seda del vestido. Se puso de puntillas y le besó.

Finalmente lo tenía todo, más de lo que nunca había soñado: el padre de su hija y el amor por el que tanto había esperado, el marido de su corazón.